まえがき

今年（2012年）1月5日に、「船井メールクラブ」という有料メルマガクラブが発足しました。管理と運営をしているのは、㈱船井本社です。そして主宰者は、私＝船井幸雄です。会員募集は、私のホームページ『船井幸雄ドットコム（http://www.funaiyukio.com/）』で4、5回行っただけですが、1000人以上の会員が集まりました。毎週木曜日に「いままでほとんど発表できなかった真実」を約1万5000～2万5000字くらいの文章で発信して、希望する特定の人たちだけに読んでもらう勉強クラブになりました。

私ひとりで毎週すべてを発信するのは物理的に不可能ですから、私の知人、友人のなかで信用できる情報通の文章の上手な人にお願いし、私の発信できない木曜日には助けてもらっています。

いまのところ、毎月第一木曜日は私が必ず発信して、ほかの日は助けてもらうことにしていますが大人気です。発足後、ＰＲはほとんどしていませんが、

船井メールクラブ（FMC） PC や携帯向けにテキスト形式で発信するメールマガジン。毎週木曜日発行。http://www.funai-mailclub.com/
船井幸雄ドットコム（船井幸雄.com） 公式 HP。毎週月曜日更新の「船井幸雄のいま知らせたいこと」を中心に、人脈や本物情報、池田整治さん、朝倉慶さん、山元加津子さん、加治将一さん、船井勝仁さんのコラムなどを掲載。

会員数が増えつづけ、会員各位から多くの〝真実〟がよくわかったとコメントを頂戴し、発信者たちも元気づけられております。

私は仕事上と興味上、世界中にいろいろな人脈があり、最近はそれらの人々と非定期にですが、月に1回くらいの割合で情報交換をしています。サイバー時代のありがたさです。これは信用できる知人との情報交換ですし、お互いに大事な情報については、一般公開をせずに秘密を守ってきていますので、本当に参考になり勉強になっております。

それを国内向けに組織化して、日本語で毎週木曜日に〝真実情報〟を発信するようにしたのが、「船井メールクラブ」なのです。

なおクラブの組織上、発信した真実情報は1カ月余りで消去するよう、システムを設定しています。

ところで本書は、「船井メールクラブ」の今年1月から5月までの第一木曜日に私が発信した文章を内容的には原文に従い、1冊の本にまとめたものです。

発信日と題名は、以下の5回分です。

サイバー時代　サイバーとは、ネットワークのこと。すなわち、ネットの時代ということ。

2012年の1月5日……「船井メールクラブ、今日から発足。GHQの指令で創られた大麻取締法、これは悪法、廃止したほうがよい」

2012年2月2日……「なぜ政府や地方自治体は稼がないのか?」

2012年3月1日……「自分の指導神の意見をきいて正しく生きる方法」

2012年4月5日……「官民をあげて研究すれば、日本の医療費はいまの1/10くらいまで減少させうる……と思える」

2012年5月3日……「サバタイ派に思う」


5回分を合わせると、ちょうど1冊の本として、よい分量だと思います。

このなかでは、1月の発信文と4月の発信文に対してとくに大きな反響がありました。また、発信したばかりですが、「闇の権力」とか「シークレットガバメントの正体は、サバタイ派だ」と世界中の識者が言っていますので、そこに少しメスを入れた5月の発信文に対してもたぶん大きな反響があるだろうと思っております。

サバタイ派　17世紀にユダヤ教のメシアを自称して表れたサバタイ・ツヴァイに端を発する。イスラム教に偽装転向して、その系譜はやがてロスチャイルドにつながっていったと太田龍さんは述べている。208ページ以降参照。

なお、いままでのところ、私以外の発信文も大人気です。なかでも人気がありましたのは以下のものとなります。

2012年1月12日……「アメリカは沖縄を独立させる」（発信人　飛鳥昭雄氏）
2012年2月9日……「東京直下大地震」（発信人　泉パウロ氏）
2012年2月16日……「国家破産は再生の序曲」（発信人　森木亮氏）
2012年3月15日……「3・11震災から1年、日本経済の現状」（発信人　野口勲氏）
2012年4月26日……「神の贈り物――超安全原子炉で貧しい人たちに電気と水を」（発信人　服部禎男氏）

いずれ、私以外の人たちの反響のあった発信文も、それなりに考えて上手に公表していきたいと思っています。

本書は、次のような何十人かの「船井メールクラブ会員諸兄姉の御要望」に

もお応えするために発刊することになりました。

「船井メールクラブの発信文は1カ月余りで消去されるので、せめて船井幸雄さんの発信文だけでも、月遅れでもよいから多くの人が読めるように1冊の本にして出版してくれませんか。考え方や生き方について参考になり、有意義ですから……」

といっても、有料メルマガですから発信文をそのまま出版するのは憚《はばか》られますので、原文に加筆、削筆して、原文の意を変えず一般向けに公開できるよう工夫して出版することにしました。

いずれにしましても、「船井メールクラブ」の主宰者としてはうれしいことです。本書を、ぜひお楽しみください。

いまはちょうど、2012年のゴールデンウイークの真ん中の日です。体調がまだ万全でなく外出不能な私を、世界中の友人から送られてくる真実の情報と、庭の草や花木《かぼく》の花々が癒《いや》してくれます。

たとえば私の家には、10月から咲く「十月桜」、2月に開く「早咲き桜」、3、4月にもっとも見頃となる「ソメイヨシノ」、4、5月に見頃となる「八重桜」、珍しく緑の花をつける「御衣黄《ぎょいこう》」など桜だけでも数本ありますが、きょう5月3日も十月桜、八重桜、御衣黄などが満開です。自然はきれいでバランスがとれています。

私はすでに79歳になりました。余生を楽しみつつ、世のため人のためになることをのんびりとでもやってみたいと考えるこの頃です。

そのような意味で、本書が少しでも世のため人のためになればよいと思いながら、「船井メールクラブ」の会員諸兄姉に感謝しつつ本書の「まえがき」のペンを措《お》きます。

なお本書では、文章の下に大事な言葉の説明を付記しました。ぜひお読みください。

2012年5月3日

熱海市西山町の自宅書斎で　船井記

熱海の自宅庭で両手振り運動をする筆者。

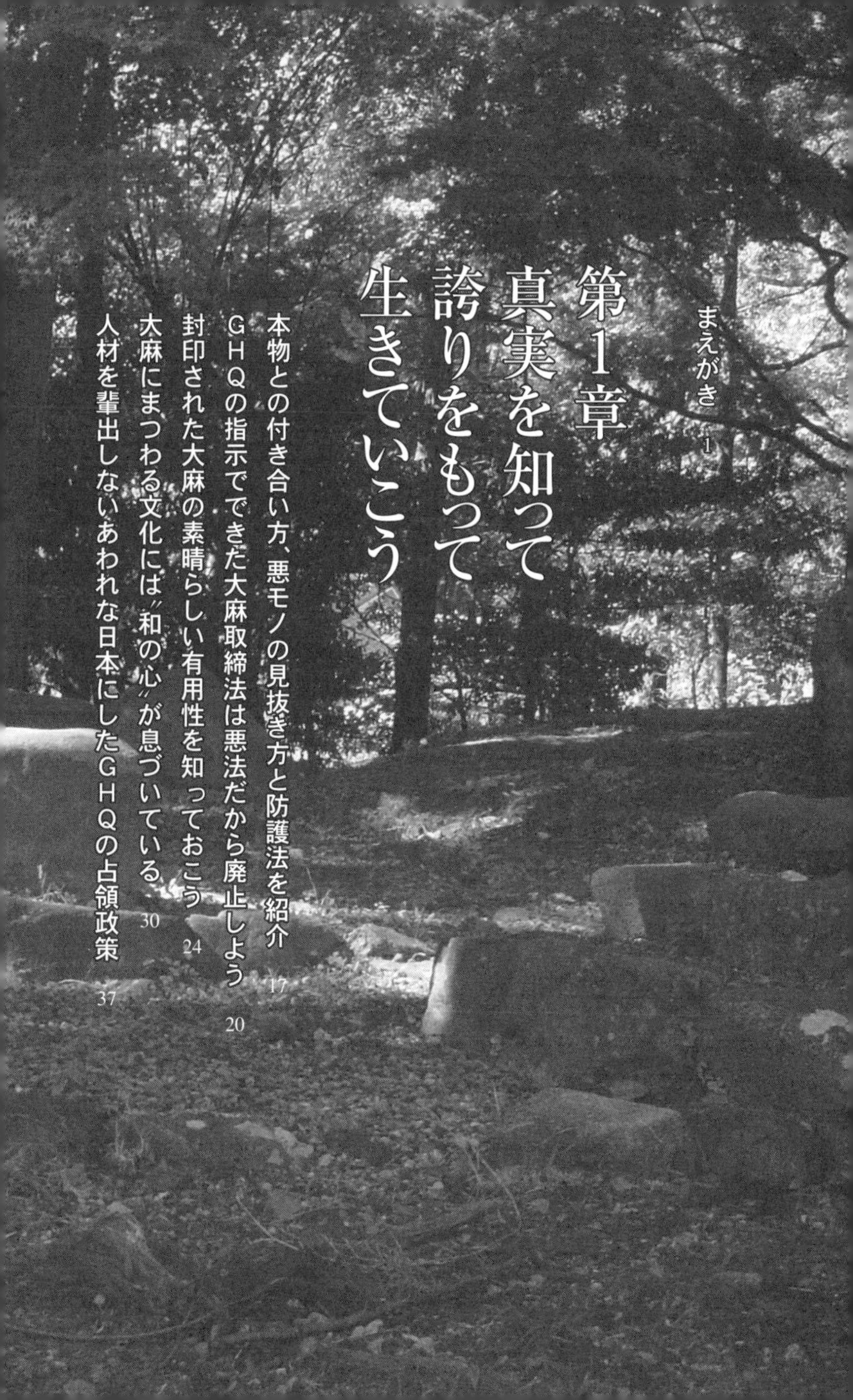

第1章　真実を知って誇りをもって生きていこう

第2章 目前に起こるといわれる日本の国家破綻を未然に防ぐ法

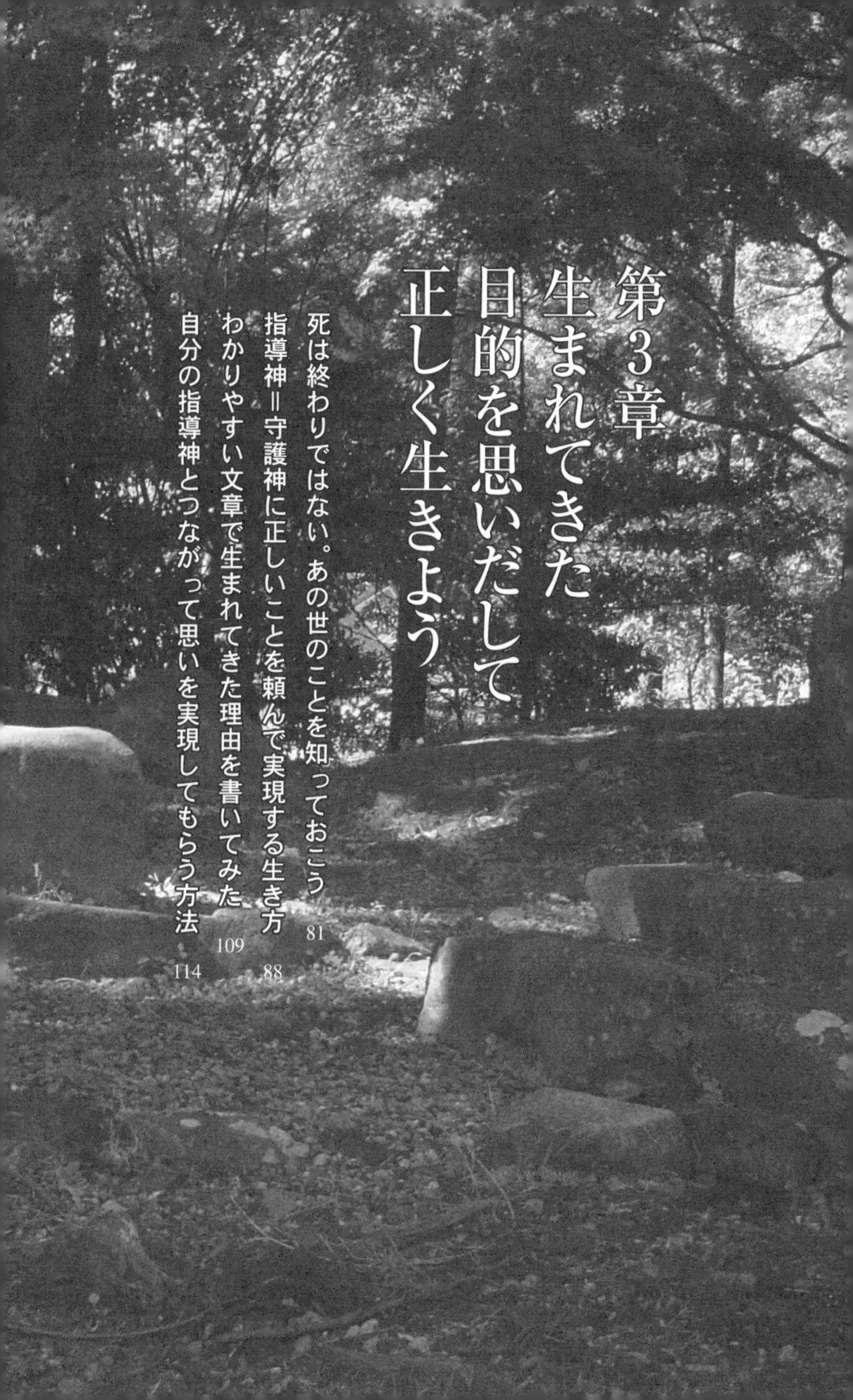

第3章 生まれてきた目的を思いだして正しく生きよう

第4章 万病に効果のあるさまざまな療法がわかった

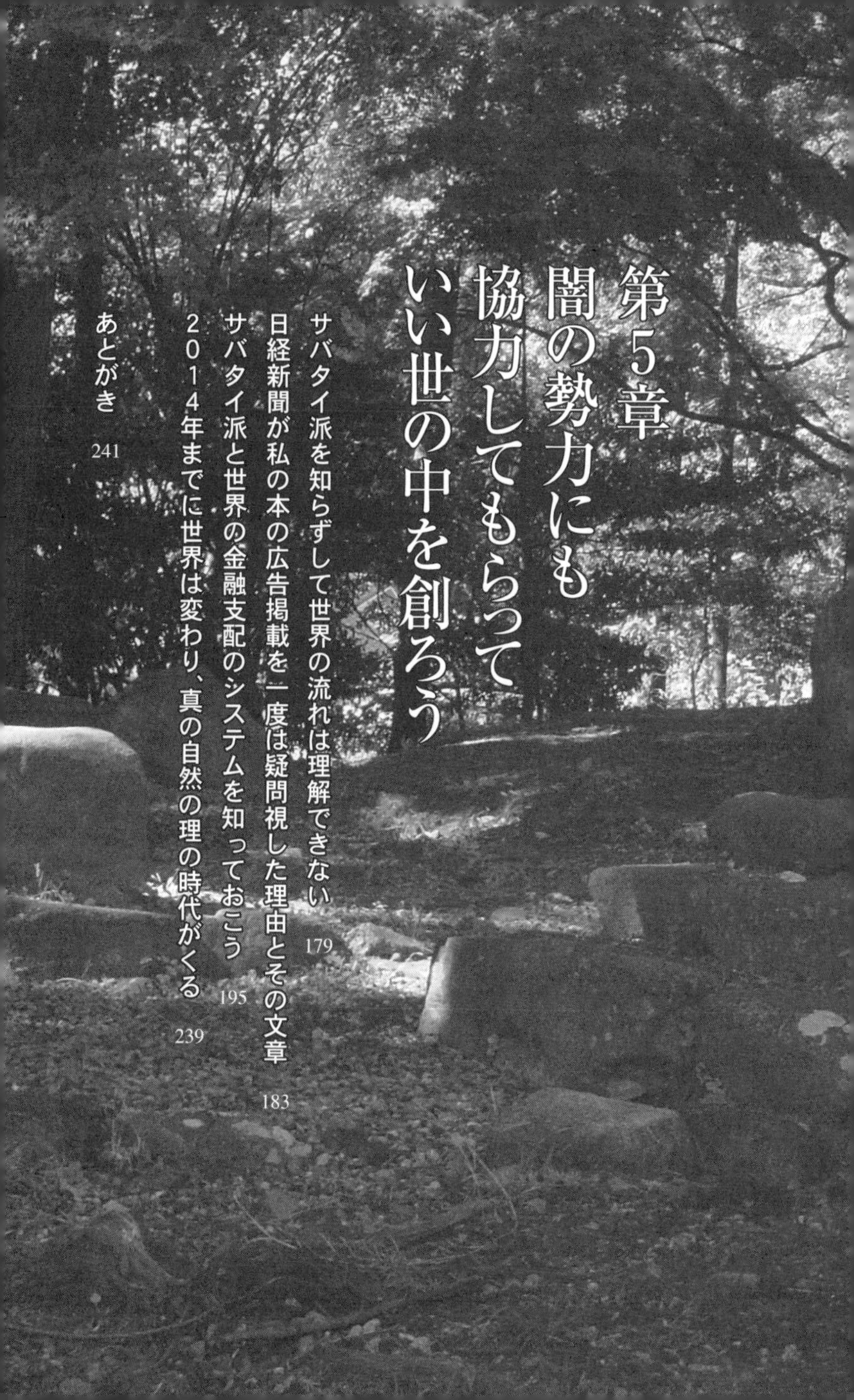

第5章　闇の勢力にも協力してもらっていい世の中を創ろう

装幀　岩田伸昭

写真提供　にんげんクラブ／泉浩樹ほか

第1章 真実を知って誇りをもって生きていこう

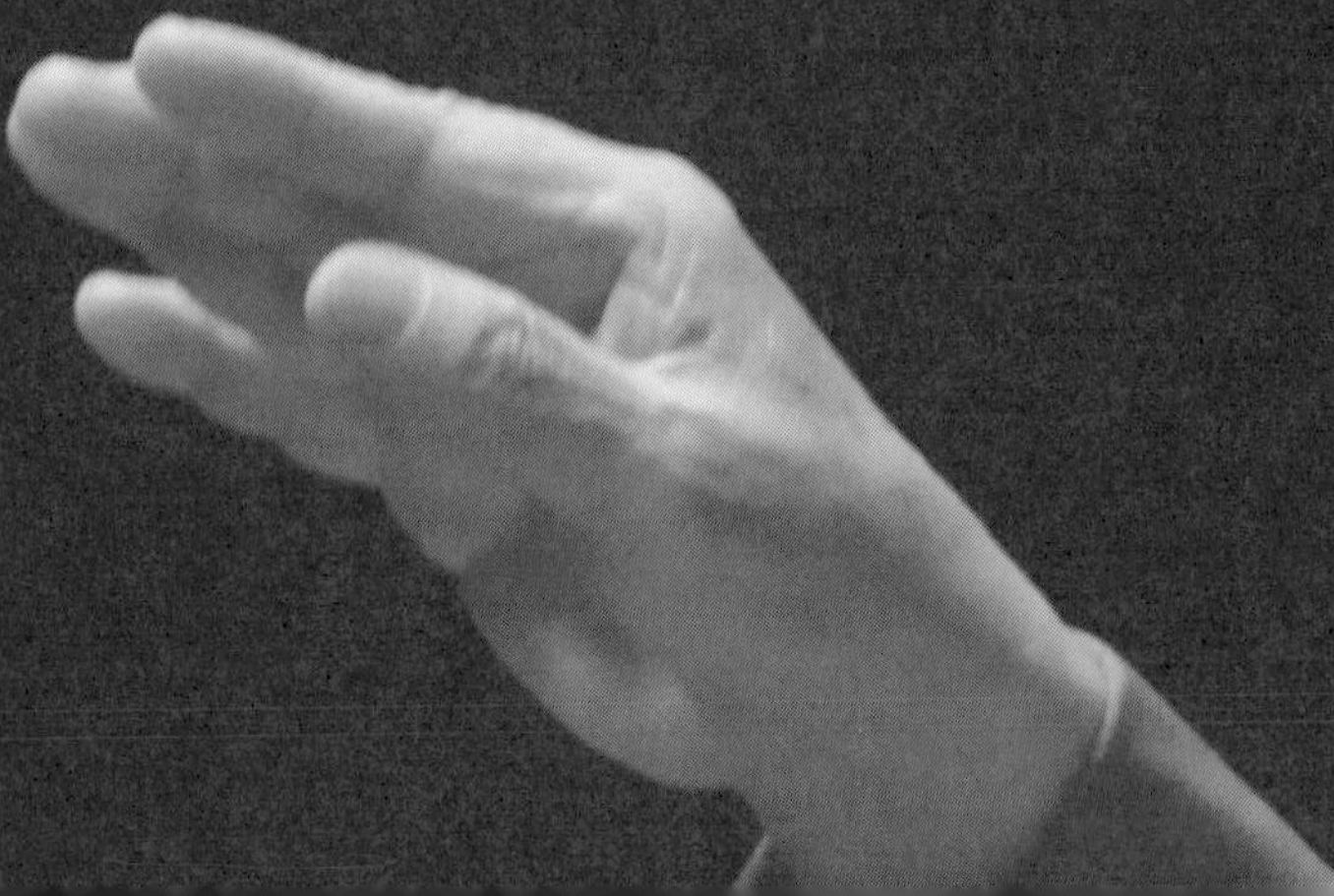

私は、本書のすべての文章を「真の自然の理」＝「創造主の意」＝「サムシング・グレートの意」を考えてそれに従って書くことにした。いまの「人間の意」に沿って記したわけではない。もちろん、私見なので間違っているかもわからない。その点はご承知のうえで本章だけでなく、本書の全文を読んでほしい。

多くの日本人は「大麻は毒だ」と思っているようだ。これは間違いもはなはだしいことである。

ともかく本章で、「大麻」と「大麻取締法」の真実を知り、それを基礎に読者なりに何が正しいのかを考えてほしい。大麻取締法は廃止にするべきだ……という私の論拠もぜひ検討してほしい。

なお、本章の参考文献として、『ザ・フナイ』㈱船井メディアの月刊誌、主幹は私です）の2012年6月号（2012年6月1日刊）に大麻研究家の赤星英志環境科学博士が「進化を促す大麻草イノベーション」と題して100ページから115ページまで、大麻についての常識的な解説を寄稿してくださっている。実に名文でわかりやすく書かれている。書店で立ち読みのうえ、できれば入手して、正しくご理解いただきたいと願っている。

本物との付き合い方、悪モノの見抜き方と防護法を紹介

きょうから、この「船井メールクラブ（http://www.funai-mailclub.com/）」が発足します。

この発信文が、主宰者の私＝船井幸雄の発するこのメールクラブ会員向けの第一声となります。

４００余冊の著書を出し、ここ30年くらい毎年２００回を超える講演を行い、いまも『船井幸雄ドットコム』や『ザ・フナイ』誌、『にんげんクラブ』誌などの情報発信媒体をもっている私も、会員制勉強会の「船井塾」以外では、本当に言いたいことは言ったり発表できないできました。しなかったこともあります。

私の知人の本当の知らせたい情報を知っている人たちも、同様だと思います。

そこで、会員制にして、受信する情報の取り扱いを賢明に判断できると思え

『ザ・フナイ』誌　「マス・メディアには載らない本当の情報」を伝える月刊誌。㈱船井メディア発行。http://www.funaimedia.com/the_funai/index.html
『にんげんクラブ』誌　「世のため人類のためのよい近未来」をつくる勉強・実践団体「にんげんクラブ」が発行する会員誌。http://www.ningenclub.jp/
船井塾　申し込みは、㈱船井本社（TEL：03-5782-8110）の重冨まで。

る特定の希望者だけを対象に、この船井メールクラブを発足させたのです。

たとえば、私は１９４８年にＧＨＱ（連合国軍最高司令官総司令部）の圧力で制定された大麻取締法は、大悪法であり、なるべく早く廃止するべきだと思っています（法律ですから守らねばならないゆえです）。

また、スマートフォン（高機能携帯電話）は、できれば最低限の活用にしてほしいと、使用者に言いたいのです。はっきりした理由があります。身体によくないのです。

さらに、毎日、害毒から自分の身体を守るため、できれば毎朝20～40分の両手振り運動を絶対にやってほしいと、多くの人にお願いしたいのです（これでかなり害毒を防止できます。にんげんクラブＨＰ〔http://www.ningenclub.jp/〕の２０１１年11月16日の相澤智子さんの発信文〔会員専用ページ〕を読んでください）。

さらに、心身のためにプラスになる本物と付き合ってほしいし、逆に心身に害を及ぼす悪モノ（前記のスマートフォンなど）は、なるべく使用を慎んでほしいのです。その見分け方や防護法もお知らせしたいと思っています。

両手振り運動　電波工学の世界的権威である故・関英男博士に教わった、達磨大師の易筋経の中に書かれている健康の秘儀。

現に、いまの人工物は99・９％以上悪モノと言ってよさそうだからです。それらについてもみつけ方を知らせたいと思っています。

しかし、これらのことは、それらによってさまざまな人が経済活動をして生活しているいまの世の中では、なかなかストレートに発言したり書くのは憚《はばか》られることでもあります。

それらを毎月１回、最初の木曜日に、できるだけわかりやすく読者の方々にご納得いただき、しかも世の中の経済活動ならびに生活にあまりマイナスの影響を及ぼさないように、充分に気をつけて発信したいのです。

私が、このような情報を毎週発信するのは、物理的にも不可能に近いし、情報にも偏りができそうなので、あとの週は私の知人のなかでそのような情報を発信してもらえそうな人を30～40人ほど選びました。

特別に条件はつけないで各自に任せて、交互に各人に年に２、３回くらいは自由に情報発信をお願いする予定です。

今月は池田整治さん（元自衛隊陸将補、真実情報評論家）、飛鳥昭雄さん（サイエンス・エンターテイナー）、そしてベンジャミン・フルフォードさん

（ジャーナリスト）の3人の方に第2週以降をお願いする予定でおります（1回で8000〜1万5000字の文章を予定しております）。

「まえおき」はこのくらいにして、それではきょうの私の発信にとりかかります。

GHQの指示でできた大麻取締法は悪法だから廃止しよう

1945年の日本の敗戦後、日本は連合国軍に占領され、その統治下に入りました。

文字どおり、連合国軍最高司令部最高司令官のダグラス・マッカーサー将軍（1880〜1964年）が、講和条約が発効するまでは日本の統治者だったのです。この占領軍のことをGHQと略称で呼びます。

GHQは、いろいろなことをやりました。ずいぶん変なこともやりましたし、やろうとしました。

マッカーサー将軍は手始めに靖国神社を潰《つぶ》してドッグレース場にしようとしたり、日本人全員をキリスト教に帰依《きえ》させようとしたりしましたが、これらは失敗しました。

ただ、１９４８年に大麻取締法を制定させました。この法律はいまも日本人を大きく縛り、日本では大麻は悪モノ視されるようになりました。

世界の先進国でこのような法律が存在するのは、アメリカの一部の州を除いては、いまや日本だけともいってよい状態です。

日本の大麻生産はほとんどなくなりましたが、その輸入量は増加の一途をたどっています。

というのは、大麻は実に有用な植物だからです。

日本人と大麻は、大昔から切っても切れない関係にあり、日本中のいたるところに大麻が自生して日本人の生活に活用されていました。

その辺のことについては詳しく研究している友人たちが大勢いますが、そのなかの１人に、最近、大麻所持で逮捕されて一躍有名になった中山康直さんがいます。

中山康直さん　縄文エネルギー研究所所長、民族精神学博士。民間ではじめて大麻取扱者免許を取得した。麻産業のコンサルタントやヘンプ製品の開発を行う。著書に、『麻(ま)ことのはなし』（2001年10月、評言社刊）のほか、窪塚洋介さんとの共著『地球維新』（2004年４月、明窓出版刊）、中丸薫さんとの共著『2012年の銀河パーティ』（2009年９月、徳間書店刊）がある。

私と中山さんは、10年ほど前は非常に親しかったのですが、ここしばらく（数年以上）、付き合いがありませんでした。

ところが2012年2月12日に、私の親しいある医療関係者のところで、彼がその医療関係者とともに講演することを招待状で知ったのです。去年（2011年）11月のことです。

なつかしいので書庫に行き、彼の著書『麻《ま》ことのはなし』を見つけて読みはじめたところ、去年12月2日の朝日新聞夕刊に次のような記事が載り、12月3日の夜のTBSの番組で彼が「大麻有用論」を話しているのを見ました。

神棚に乾燥大麻所持容疑で逮捕　伊豆大島の宗教サークル

（2011年12月2日、朝日新聞夕刊）

神棚に乾燥大麻を飾っていたなどとして、警視庁は、東京都大島町（伊豆大島）で活動する宗教サークルなどに所属する男女7人を大麻取締法違反の

疑いで現行犯逮捕し、活動拠点などから乾燥大麻計約４９０グラム、大麻草17本を押収したと2日発表した。

逮捕されたのは、宗教サークル「ヴィジョン　オブ　ニューアース」主宰の荒井唯義容疑者（65）＝同町差木地＝や、麻製品製造販売会社「縄文エネルギー研究所」経営の中山康直容疑者（47）＝同町波浮港＝ら。

組織犯罪対策5課によると、荒井容疑者ら2人は11月29日、メンバーの女（33）方で乾燥大麻約２７０グラムを神棚に飾るなど営利目的で所持した疑いがある。中山容疑者ら5人は同日、同容疑者宅などで乾燥大麻約２２０グラムや大麻草17本を所持した疑いがある。

荒井容疑者は「自分たちで吸うために大麻を栽培していた。神棚にまつるのは、古代の神事の継承だ」、中山容疑者は「大麻を研究用に栽培し、吸っていた。取り締まる法律がおかしい」と供述しているという（新聞記事転載ここまで）。

封印された大麻の素晴らしい有用性を知っておこう

中山さんは大麻取扱者として免許を受けていたはずだし、『麻ことのはなし』で大麻取締りの歴史や、その有用性について、以下のように書いています。

大麻取締法の歴史

ヨーロッパでは、西暦1200年に大麻を原料とした製紙工場ができ、大麻産業が事実上始まっています。アメリカでは、1916年の段階で、大麻の栽培を拡張しています。

しかし、1925年にアメリカ軍によるパナマ運河地方の大麻使用に関する調査報告が出されて、大麻の使用に関する薬物的な懸念が生まれてきたこ

とで、１９２９年にアメリカの16州で大麻が禁止されました。この年にフォード社が、大麻を使った自動車の研究に着手しています。

１９３７年には、アメリカで大麻産業を活用化しようとする動きがあって、アメリカ農務省は「大麻が地球上で栽培できる植物の中で最も有益である」という声明をだしました。さらに、新十億ドル産業ということで、あらゆる雑誌新聞で喧伝されることで大麻が表面に出てきました。

しかし、そのとたんにマリファナ課税法が制定され、アメリカの48州のうち46州で採択されました。事実上、この時点から大麻栽培は消滅していったのです。

この裏には、石油資源を中心に経済を発展させていこうとする資本家の考え方があって、大麻などの循環資源に変えて、石油化学製品を軌道にのせるための経済的かつ政治的配慮がはたらいたとみることができます。

他の産業に関しても同様で、石油産業、木材産業、化学繊維産業、農薬化学工業、医薬品メーカーなどに関連した大資本家が、石油中心に産業革命を推進し経済を発展させるには大麻が競合するとわかり、大麻は麻薬で恐ろし

大麻と石油産業　大麻の種子からは、その重量の25～30％ものヘンプオイルがとれる。化粧品や石鹼、塗料などの材料にされるほか、石油が使われるようになる前は工業用潤滑油や燃料としても使われていた。ヘンプオイルの車の燃料への利用方法が模索されるなかで、当時新しく登場してきた石油産業にとってヘンプオイルは邪魔な存在だったので、政治力を使って禁止されてしまった。

いものだとする風潮が生まれました。

日本でも戦後、GHQの占領下において、1948年に大麻取締法が制定され、大麻の花と葉及び栽培が規制の対象となり、1951年には、それまで喘息《ぜんそく》の薬として薬局方で販売されていたものが日本薬局方からもはずされ、処方薬として利用することも禁止されました。

ただ、日本の伝統文化において、太古から継承されている皇室祭祀や伝統行事、神事、神社などに大麻の繊維が使われるため、日本の国庫に属する作物として、全面禁止はまぬがれています。

日本では現在、大麻取締法のもと栽培がきびしく規制されていますが、伝統用、産業用などに限って、都道府県知事の許可のもと免許制として栽培が可能です。

医療大麻の可能性

毎年多くの生物種が絶滅し、病気が蔓延《まんえん》して、人類はいままで経験したこ

とのないほど多くの難病に直面しています。

このような状況において、アメリカが中心になり、以前から医療研究目的で、大麻を処方して、ガン、エイズ、白内障、緑内障、アルツハイマー、リュウマチ、アトピー、多発性硬化症のような難病に劇的な効果をあげています。

大麻の花と葉に含まれるＴＨＣ（テトラ・ヒドラ・カンナビノール）という薬理成分が病気の治癒に関係しています。

大麻そのものには病気を治す力はないと思いますが、人体には大麻の薬理成分を受容するレセプターが存在しており、大麻の成分が体内に入るとメラトニンという人間の体内生体時計と関係する非常に健康的なホルモンが分泌され、結果的に自然治癒力に働きかけるメカニズムになっているようです。

メラトニンというホルモンは、人間の脳梁の後方下部（第三の眼の位置）にあるトウモロコシの粒ほどの大きさの松果体という脳の根源的な器官から分泌され、血液中の活性酸素のバランスをとってくれます。活性酸素は病気の根本的な原因のひとつなので、メラトニンの分泌により、自然に病気を癒

していく効果が生まれます。

メラトニンは夜多く分泌され、昼はほとんど分泌されません。これは、目覚めと睡眠のリズムとも関係していて、昼間太陽の光をたっぷり浴びて、夜はなるべく暗いほうがメラトニンの分泌を促します。つまり、自然のリズムに沿った昔ながらのライフスタイルが、ホルモンバランスからみえる健康的な生き方のリズムだといえるのです。

メラトニンを分泌しているときの脳波は、アルファー波やシータ波になっていて、深い瞑想状態と同じ状態で、非常にリラックスした効果が生まれます。

メラトニンの分泌は年とともに減少していきます。このメラトニンホルモンのバランスをとり、分泌量が安定すれば老化しにくい、つまり、いつまでも若々しくいられる健康な体を維持できる可能性があるのです。

現在の日本の法律では、大麻の茎と種子は規制の対象外であり、伝統及び産業用の目的で利用することはできますが、花と葉は、産業目的であっても医療目的であっても使用することはできません。

アルファー（α）波、シータ（Θ）波　人をはじめ動物の脳は電気的な信号を発している。Θ波は4～7Hz、α波は8～13Hzで、リラックスした状態ほど脳波の周波数は低くなる。寝入りそうなときや麻酔が効いているとき、半睡半覚醒の状態のときはΘ波の割合が高くなり、目をつぶって安静にしているときはα波の割合が高くなる。

したがって、今後、アメリカのように医療目的で活用していくならば、法改正が必要になってきます。

日本でも戦前は、「印度大麻エキス」や「印度大麻煙草」という医薬品名で、喘息の特効薬として、日本薬局方で販売していました。また、「麻子仁丸」という緩下剤の主役も大麻の種子でした。

世界的にも治療薬としての歴史は古く、古代アラビア医学、古代ギリシャ医学、古代インド医学、古代中国医学などでも五千年以上前より、不老長寿に関係する薬用植物として、利用されてきました。

また、宗教的にも世界中のあらゆる宗教や伝統儀式の中でも使用されてきました。

このように、文化的にも非常に価値があり、薬草としても永い歴史を有する大麻の医学的な可能性は、今後も注目されていくでしょう（転載ここまで）。

大麻にまつわる文化には〝和の心〟が息づいている

彼はまた、次のようにも書いています。

今、世界中で大麻解禁の方向に動きつつある中で、日本でも戦前まで広く栽培されていた大麻が復活し、産業や生活や思想も含め、真実の地球を思い出していくことが、私たち地球人類に課せられた共通の天命ではないでしょうか（転載ここまで）。

そして、「麻とは和の心とみつけたり」として、以下のように文章を結んでいます。

――群馬県吾妻町にある鳥頭《とっとう》神社のお祭りのひとつに「茅《ち》の輪くぐり」という

大麻解禁　オランダでは、大麻をはじめとするソフトドラッグとアヘンをはじめとするハードドラッグの線引きを明確にし、ソフトドラッグについては所持とコーヒーショップにおける販売が実質的に認められている。ドイツには、マリファナとハシシュの少量使用について罪に問わない判例があり、一部の州で販売が解禁され、さらに栽培に補助金が出ている。

伝統行事があります。竹製の２メートルほどの輪に茅《ちがや》を巻きつけ、上部には根から抜いた二本の大麻の生木が横にして供えられ、さらに、その輪が参道の鳥居に取りつけられます。

参拝者は、この茅の輪をくぐって心身を祓い浄めるのです。二本というのは、日本のことで、「日本が、和（倭）を以って貴し」という意味がこめられているのです。

大麻は神社、仏閣のお鈴さんに使われたり、注連縄《しめなわ》に使われたりして、神事的に何かを結びつけるには、必ず大麻の繊維が使われていました。

神社本殿のお鈴さんを振ることで、神様のお使いである鳥に合図を送り、そして、天に合図を送るのです。

鈴を吊るすのに大麻繊維を使うのは、麻《ま》が吊られているマツリの状態の意味をもちます。子供の頃、地元でお祭りがあると神社に御幣《ごへい》をもらいにいきました。御幣とは先端に大麻繊維がついている榊《さかき》で、それを持って、山車《だし》のところへ走って行き、山車の御神木に縛りつけて麻を吊り、祭りの安泰を約

御幣　紙を折って木に挟んだもので、神道の祭祀に使われる。紙の部分に金箔や銀箔を用いているものもあるが、かつては麻や楮（こうぞ）からつくった紙が用いられていた。

束したものです。

長野県鬼無里村《きなさ》は、昔は大麻の繊維の生産地でした。鬼の無い里と書くこの村では、良質の大麻繊維がとれ、村は非常に豊かなくらしをしていました。現在、村の民族資料館には、古来からの大麻産業の歴史が紹介されています。加えて、昔、この村の収穫祭に活躍した四台のすばらしい山車と二基のお神輿《みこし》が展示してあります。ひとつのお神輿の屋根の上には、「一万度大麻」と書かれたお札が掲げてあるのです。

麻吊りには、魔がつられて無くなるという意味もあります。罪穢《けが》れを祓う大麻を要所要所に吊ることで、麻吊りが祭りとなり、心から祀られた状態になってきます。「麻」と「魔」の違いからもわかるように、「マ」というものは、一歩でも間違うと大変ですが、間をとることで安定し、一体になります。そして、人間から間を吊ると人《ひと》となり、マコトの人とは日を統合した存在を表しているのです。

麻とは「和のこころ」とみつけたり

鳥頭神社では、古代から伝統的に大麻を栽培して、神社境内で神具用の繊維の生産加工をしていますが、その工程の中で大麻の繊維を束ねたものを順次ならべて吊るします。そのときの黄金色の繊維の光沢はすばらしく、あたかも光を束ねたかのように神々《こうごう》しく、その周囲一帯も光って見えます。このような大麻繊維を「精麻《せいま》」といいます。これが、黄金の国ジパングの意味ではなかったのでしょうか。

昔は、日本中で大麻が栽培されていました。大麻の繊維は、いたるところで見られ、全体がまるで、エンゼルヘアーがたなびいているかのように光り輝き、黄金の国という豊かさをイメージできたのではないかと思います。

昔の日本人がもっていた心は大和の心でした。戦後、占領軍が日本に駐留した際に、一番恐れて封印したかったものは、ヤマトの精神をもつ日本人の

占領軍と麻　日本には大麻を麻薬として使用する習慣がなかったので、戦後、GHQから大麻を禁止するよう指示があったとき、当時の林修三法制局長官は、「大麻の『麻』と麻薬の『麻』がたまたま同じ字なのでまちがえられたのかもしれないとじょうだんまで飛ばしていたのである」とその随筆に記している。

神秘的なアイデンティティーであったのかもしれません。

ラフカディオ・ハーンも
「これほど知性や情操を含め、民度の高い国は世界中で見たことがない。子供たちの目は本当に生き生きとしている」

と書き残しています。

フランシスコ・ザビエルも
「日本人ほど善良なる性質を有する人種は、この世界に極めて稀《まれ》である」

と同じことを言っています。

かのアインシュタインも、世界の未来に対して、

「世界の未来は進むだけ進み、その間、いく度か戦いは繰り返されて、最

日本人の誇りの記憶は、
日本語と大麻で伝承されてきました。
これらを見直していきましょう。

後の戦いに疲れる時がくる。その時、人類はまことの平和を求めて、世界の盟主をあげねばならない。この世界の盟主となるものは、武力や金力ではなく、あらゆる国の歴史を抜き越えた、もっとも古く、また、尊い家柄でなくてはならぬ。世界の文化は、アジアに始まってアジアに帰る。そして、アジアの高峯、日本に立ち戻らねばならない。我々は神に感謝する。我々に日本という尊い国を造っておいてくれたことを」

と後世に貴重なメッセージを残しています。

このような、大和の心を次第に忘れていったことが、神代文化から続いていた和の精神の衰退や大麻の封印と関連しているのではないでしょうか。産業的な大麻の有効利用は、現代社会でも認知されてきています。大麻が環境にやさしいということは、今の社会でも一般的になりつつあります。

大麻のもつ様々な特性があらゆる産業的かつ環境的に役立つ可能性も含め、すべては、その大麻を使う人の心のあり方と人類の生き方にあると思います。

先祖をたどれば、今の日本人は、すべてといっていいほど大麻と関係した

民族です。

そして、次章からもみていくように、この神聖さをもつ循環植物資源である大麻を理解していくうちに、太古の昔から日本人が精神文化の中で愛してやまなかった大麻の本質的な意味とは「和のこころ」であると理解します。

天照らされて　あすわの光
和のこころなくして　麻開かず（転載ここまで）

人材を輩出しないあわれな日本にしたGHQの占領政策

私も、GHQの占領政策を調べているあいだに、気づいたことがあります。

「アメリカは意識的に日本人の精神的バックボーンを取り去り、人材を輩出しないようなあわれな国にしたかったようだ」と思うのです。

その１つが、学制改革です。なかでも旧制高校の廃止です。日本人の将来の

学制改革　アメリカの教育使節団が1946年に行った調査に基づいて行われた大規模な教育課程の改革。さまざまな進路の選択肢があった上位学校への進学を一本化し、小学校６年、中学校３年、高等学校３年、大学４年の「６・３・３・４制」として、義務教育の期間もそれまでの６～８年から９年に延長した。また、小学区制、総合制、男女共学の「高校三原則」も打ち出された。

エリートから大志、哲学、自由という旧制高校の特質であった3つの大事な条件を、これを廃止することで取り去りました（この辺のことは『船井幸雄ドットコム』で何回か述べていますので、それらをお読みください）。

二つめは、大麻取締法を日本政府に制定させたことだと思います。調べれば調べるほど、この法律は悪法です。アメリカの石油資本のためのものであるらしいことがよくわかります。

悪法でも法律は法律、法治国民はそれを守らねばならないから厄介《やっかい》です。

それとマスコミなどの報道姿勢のせいで、大麻は悪いもの、人に害を与える植物という概念をいまの大多数の日本人に植えつけてしまいました。長年、研究していましたが、大麻については多くの資料が揃いましたので、今年中に大麻取締法がいかに悪法であり、大麻が有用であるかを私も1冊の本にして出そうと考えております。

それはそれとして、中山康直さんの『麻ことのはなし』は、もう絶版になっていると思いますが、できれば入手して読んでおかれたほうがよい本だと改めて推薦しておきたいと思います。

ここで、話題を元に戻します。

ＧＨＱの三つめの大事な政策は、官僚制の温存でした。

旧制高校出身者は、一番若い人でも、今年80歳だと思います。

79歳以下の日本のエリートには本当の意味での人材がいなくなりました……と言ってもいいくらいです。この官僚たちは、日本をつぶす可能性があります。我欲中心人間が多いように思うのです。

それは現在、第一線にいる政治家、官僚、サラリーマンタイプの大企業経営者などを見れば、一目瞭然とも言えそうで、ＧＨＱの日本つぶし政策（？）はこの３大政策のおかげで成功したように思います。

誇りをもって生きるために日本語のことを知っておこう

３・11東日本大震災のときに示した日本人の大衆の行動は、世界のエリート

官僚制　東京大学の法学部長を務めた政治・行政学者の故・辻清明氏は、戦前の日本の官僚機構の特徴は「特権的なエリートによる構造的な支配・服従の関係」にあるとし、これが「官尊民卑」の権威主義を形成したと分析。さらに、戦後の“民主化”のなかでもこれは根強く生き残り、政治の真の民主化を阻害しているとした。

たちをびっくりさせました。日本のエリート層は人間的にダメになったようですが、日本の大衆のほうはまったく健全だからです。

その理由は、日本語に起因すると思われますが、それにつきましても、今年中にこの船井メールクラブで理由などをわかりやすく発信したく思っています。が、とりあえずは、最近発刊されました拙著『素晴らしき真言《マントラ》』（2011年11月、青萠堂刊）に日本語のよさを科学的（？）に書きました。

この新著を書いているときに、「一二三祝詞《ひふみのりと》」といういま話題の祝詞が大麻に関係あるのではないかと思える文献に出合いました。

以下は同書の「あとがき」です。少しそのことにもふれていますので、念のために以下に転載しておきます。

あとがき

【日本人には、分かりやすい、よく使われている、確信のもてる、短い、

一二三祝詞　古代から伝わる祝詞。幣立神宮に阿比留草（あひるくさ）文字で書かれた日文石版が伝わるとされるほか、その起源に関してはさまざまな説がある。音は伝わっているが、その意味するところ、解釈については伝わっていない。

真言《マントラ》が、ベストと言えよう。】

本書は、11月6日から書きはじめたのですが、私自身が11月7日ころから体調と言っても口内の状態ですが、最悪になりました。たえずしびれ、痛み、話せず、食べられず、睡れずで、もちろん原稿も書けない状態になりました。そのため11月8日に左下アゴ骨を緊急に手術しました。3月、8月についで今年3度目の手術です。しばらく原稿書きがおくれました。11月22日ころから、ようやく原稿に手をつけ始められたのです。そのため第4章あたりから、少し文体が変わったような気がします。

まだ口内もカラダ全体も半人前以下の状態ですが、どうやら峠はこえたようです。

今日は11月29日です。ところで一昨日11月27日に、大相撲九州場所が終りました。すでに白鵬の優勝は13日目に決まっていました。しかし一昨日午後5時過ぎに琴奨菊と稀勢の里のともに「10勝4敗」の2人の顔合わせがありました。

日本人最高位の大関琴奨菊と、今度大関に昇進する関脇稀勢の里の一戦です。

ただ対戦の時には、同日朝の審判部の会議で稀勢の里の大関昇進が決まっていましたからよかったものの、そうでないと琴奨菊の気持ちは複雑だったと思うのです。その場合日本人として、一歩先に大関になった琴奨菊の心になにか影響を与えたにちがいないと思えてならないのです。

日本語というのは、日本人に、知らず知らずに、このように「和」というか「マクロの観点」とか「思いやり」の心の作用をもたらすものだ……ということを言霊研究家の一人としてまた相撲ファンとして、ここでは書きたいのです。

私は小学生時代から大の相撲ファンです。最近は10年くらい大の魁皇ファンでした。その理由はなぜか福岡県の人が大好きだからです。したがいまして福岡県柳川市出身の琴奨菊は、現役力士ではもっとも大好きなお相撲さんの一人です。それは福岡のコトバに関係があるようです。私は福岡県民の独特の気風に惹かれるのです。「思いやり」が特に強いところだと思うのです。

が、それだけに、私も複雑な気持ちでした。

生粋《きっすい》の日本人で幼少から日本語、特に福岡弁で育った琴奨菊には、この日本人の特性はおおいにあるように思えるのです。

以上のことにつきまして、別の話を書きます。かつて1994年、チューリッヒで私は当時スイス一の弁護士といわれたスイス人の友人の法学博士と「日本的経営」について2～3時間も話していました。彼は日本をよく知り、たびたび来日していました。「もったいない」という考え方と、「人の好《よ》さ」、そして「談合」が日本的経営というか日本人の最大の美点だとその時彼は私にはっきり言ったのです。少しびっくりしましたが、考えてみると同感で、「これらの基礎は日本語にあるのだね」と意見の一致を見ました。このことは彼の実名とともに、どれかの既著に書いたように思います。やはり日本語が日本人の思考や行動の基礎のようだと言えそうに思うのです。

さて、話をもとにもどします。真言《マントラ》の話です。

つぎは、2008年7月21日の私のホームページの発信文です。大反応の

発信文でした。
本文で取りあげた「一二三祝詞」について書いたものなので、ほぼそのまま転載をします。

「ひふみのりと」について

先月（2008年）6月28日に東京で行われたヒューマンカレッジで、朝10時～12時まで2時間「いま大事なこと」という題名で以下のような「ひふみのりと」の話をしました。

その時、真言《マントラ》の話をし具体的に「ひふみのりと」を、一日3回くらい唱えるとよい。日本人的な発想ができるようになるし、それがこれからは大事な時代ですよ……と、ちょっと詳しく「ひふみのりと」について話しました。日本人は当然でしょうが、日本語の真言《マントラ》に特に惹かれるようなのです。

いまそのことが、私の話を聞いた人を中心に大きな話題になっているようです。主催者の船井メディアにも問い合わせが多く来ているとのことな

ので、このHPで、少しふれたいと思います。

これにつきましては、月刊『たまゆら』の今年（2008年）7月号に中矢伸一さんが、たまたま『「ひふみ祝詞」を現代に復活させる意義』と題して9ページもの文章を書いていますので、これを読まれるとよく分かると思います。

そのポイントだけを、中矢さんの御了解を得て彼の文章から引用します。以下引用です。

神道の淵源とされるこの原初的な祭祀形態は、「神籬磐境《ひもろぎいわさか》」と呼ばれる。

日月神示は、こうした祭祀を現代に復活させることを願っているようであり、その祀り方についても、ある程度詳しく書かれている。

また、捧げる祝詞は「ひふみ（一二三）祝詞」である。日本語の四十七音（濁音、半濁音を除く）を祝詞にしたもので、「ひふみ神言」とも呼ばれる。

神籬磐境　榊（さかき）などに麻と折った紙をつけて神を降臨させる依代（よりしろ）としたものを神籬と呼ぶ。磐境については、岩石を組み合わせて依代としたものとされるが定かではない。いずれにしろ、これらが現在の神社の原型とされる。

日月神示には、『水の巻』第二帖に、

「ひふみ　よいむなや　こともちろらね　しきる　ゆゐつわぬ

そをたはくめか　うおえ　にさりへて　のますあせゑほれけ。

一二三《ヒフミ》祝詞であるぞ」

と記されてある。

この「ひふみ祝詞」こそが日月神示の核心的部分であり、極端に言えば、これだけ肚《はら》に入れればあとは要らないというくらい、大宇宙のすべての真理が含まれている究極の言霊と私は思っている。

いつ、誰によって「ひふみ祝詞」が作られたのか。弘法大師（空海）の作という説もあるが、それは違うようだ。詳細に調べていくと、超古代から連綿と伝承されてきている、秘伝的な霊威を持つ神言らしいことがわかってくる。

文献上では、物部《もののべ》氏の史書として知られる『旧事紀《くじき》（先代旧事本紀）』に、「ひふみ」十音の記述が見られる。

それは「天神本紀」に出て来るもので、ニギハヤヒ（天照国照彦天《アマテルクニテルヒコアメノ》火明櫛玉饒速日尊《ホアカリクシタマニギハヤヒノミコト》）がオシホミミ（正哉吾勝々速日天押穂耳尊《マサヤアカツカツハヤヒアメノオシホミミノミコト》）の勅命《ちょくめい》を受けて天孫降臨するくだりで、ニギハヤヒに「十種《とくさ》の神宝」を授け、「もし痛むところあらば、この十宝《とくさのたから》をして、一《ひと》―二《ふた》―三《み》―四《よ》―五《いつ》―六《む》―七《なな》―八《や》―九《ここの》―十《たり》と言いて布瑠部《ふるべ》。ゆらゆらと布瑠部。かく為《な》せば、死せる人は返りて生きなむ」

と詔《みことのり》したことが記されてある。

このため、『旧事紀』を取り入れた神道家や神道流派では「ひふみ祝詞」をも重視したと考えられるが、江戸初期に、幕府の御用学者として絶大な権威のあった林羅山《はやしらざん》らにより偽書の烙印を押されて退けられて以来、『旧事紀』は神道の主流から外されてしまった。やがて明治維新が成り、急遽「国民」としての意識を一つにまとめるため『古事記』『日本書紀』の二大官選史書をもとに国家神道の整備が始まると、「ひふみ祝詞」は完全に忘れられた。

その国家神道の流れを汲む現在の神社神道でも、「ひふみ祝詞」を教

林羅山　1583～1657年。江戸初期の朱子学者で、徳川家康から４代にわたって徳川家にブレーンとして仕えた。イエズス会の修道士と地動説を巡って論争して天動説を唱えて論破し、棄教させたことでも知られる。

えない。だから、今の神主たちも、個人的に勉強している方を除いて、「ひふみ祝詞」の存在さえ知らないというのが実情である。

太古から伝わる「ヒフミ四十七文字」

「ひふみ祝詞」が、〝超古代から連綿と伝承されてきている秘伝的な霊威を持つ神言〟であることは、様々な面から裏付けられる。『竹内文書』にも、「ひふみ祝詞」は出てくる。拙著『日本はなぜ神道なのか』（KKベストセラーズ）にも書いたことなので重複するが、「上古第二十代天皇」にあたる「惶根《カシコネ》王《オウ》身光《ミヒカル》天津《アマツ》日嗣《ヒツキ》天日天皇《アメノスメラミコト》」の項に、「即位五十億年、イヤヨ月円五日、詔《みことのり》して四十七音文字言歌を作らせ給う。ヒフミ伝の始めなり」とあり、「ヒフミヨイムナヤ　コトモチロラネ……」と解読できる神代文字による「ヒフミ神言」が記載されている。
（転載ここまで）

ところで私は七沢賢治さんのコトダマの研究などから母音、父音、子音の

七沢賢治さん　㈱七沢研究所代表取締役社長。言語エネルギー発生装置、クイント・エッセンス・システムを開発した。白川伯王家に伝わる宮中祭祀を継承。
コトダマ　言霊とも。日本では古来、ともに「コト」と発音される「言」と「事」の違いがなかったとされ、言葉すなわち実現することとされてきた。万葉集にも、「倭の国は（中略）言霊の幸わう国と語り継ぎ言い継がひけり」とある。

日本語の特性を知り、日本古来の吉田神道や白川神道（神祇伯）が「ひふみのりと」を重視してきたことも知りました。

日本人の特性は、つぎの10項目ぐらいにあると思いますが、これは日本語に原因があり、その集約をしたものとして「ひふみのりと」があると思えてならないのです。

それ故、ヒューマンカレッジで「ひふみのりと」の話をしたのです。

読者の皆さんも、各自で少し御研究ください。

では私の考えている「日本人の特性　10項目」を述べます。

1. 争いがきらい。というより下手。和が好き。
2. 残虐なことができない。思いやりが強い。
3. いやなことは忘れるのがうまい。恨みを持たない。プラス発想型。
4. 策略は好きでない、下手。
5. 「恥」の文化。「清」を大事にする。
6. 「自然」と一体化するのが好き。自然を理解できる。

吉田神道　室町時代に京都の吉田神社の神官、吉田兼倶がまとめ上げた神道の一派。朝廷や幕府から「神祇管領長上」に任命され、日本全国の神社を支配。
白川神道　伯家神道とも。花山天皇の直系の白川家が受け継いでいた神道の一派。吉田神道が教義を確立する一方で、白川家は口伝で祭祀の作法を伝承していた。当主の資長に子がいなかったため、1961年に白川家の正統は途絶えた。

7．「直感力」は非常にするどい。
8．大衆は「我執」と「金銭欲」に無縁な人が多い。
9．よく学び、よく働く。
10．他に干渉をしたがらない。包みこみができる。

いかがでしょうか？

さて、今度は少し変った話を書きます。私が一二三祝詞のことを最初に知ったのは、「日月神示」によってではなく、幣立《へいたて》神宮のアヒルクサ文字からなのです。かなり昔のことです。

それについて、私の親友の大麻研究家の中山康直氏が、彼の著書『麻ことのはなし』（２００１年10月10日　評言社刊）に以下のように書いています。

一二三四五六七八（ヒフミヨイムナヤ）　九十百千万（コトモチロ）
蘭根蒔き（ラネシキ）　糸結い（ルユヰ）
強い（ツワヌ）　麻を（ソヲ）　多く育め（タハクメ）

交う悪（カウオ）　遠に去り（エニサリヘ）
天の（テノ）　増す汗（マスアセエ）　掘れよ（ホレケ）

「一二三四五六七八九十百千万と麻《マオラン》を蒔《ま》きなさい。そうすれば結ばれてきますよ。生命力が強い大麻をたくさん育てれば、交戦してくる罪穢れが遠くに去るから、天から与えられた田畑を汗水たらして、一生懸命に耕すことができますよ」

という意味になります。

ラネは、真麻蘭《まおらん》（ニュージーランドヘンプ）や苧麻《ちょま》（ラミー）、黄麻（ジュート）、亜麻（フラックスリネン）、大麻（ヘンプ）など、アジア地域を中心に自生している麻の種類を総称して、古代にはラネという言葉を使っていたのですが、これは、アジア圏が太古の昔は、ひとつの文化圏であったことを表しているのでしょう。

ヒフミ祝詞がつくられた時代には、当然、日本はアジアとも交易していたのです。ヒフミ祝詞は超古代から受けつがれてきましたが、これを裏づ

けるように、熊本県阿蘇郡蘇陽町にある日の宮＝幣立神宮の境内裏から神代文字のアヒルクサ文字で彫られた石版が発見され、それを解読してみるとヒフミ祝詞でした。

幣立神宮縁起書によれば、「太古、天神の大神が幣（大麻）を投げられたとき、それが突き立った場所を日の神を祭る幣立とした」とあります。

（この麻説は古代文字研究家の吉田信啓さんの意見でもあります）

この中山さんの本は内容は別として私が出版社などを手配し、中山さんに大麻のことを書いてもらったと言ってもよい本なのです。１９４８年に占領軍によって押しつけられた「大麻取締法」は１日も早く廃止しなければ……と思って、この本の出版の応援をしたのですが、いよいよ来年あたりから、この悪法の廃止運動を起こそうと思っています（法律は法律であり、法治国民は悪法も守らねばなりませんが「大麻取締法」は、どう考えても大悪法だと私には思えるのです）。

とはいいましても、「日月神示」によりましても、この「吉田、中山説」

に従いましても、太古から日本では「一二三祝詞」が唱えられていたのはまちがいないことが分かります。

したがいまして、このコトバはすでに真言《マントラ》として日本語としては鋳型化できていると思うのです。

特に最近は中矢さんの活動のおかげで多くの人が唱えるようになりました。真言《マントラ》効果は絶対にあるはずです。それも、すばらしい真言《マントラ》です。

この辺でさいごに本書で書きたかった結論を総まとめして記し、ペンをおこうと思います。

それは、この「あとがき」の題名に書きましたように、日本人にとってよい真言《マントラ》というのは、

1. 分かりやすい、日本語のコトバで、納得できる内容の方が絶対によい。
2. 古くから多くの人に唱えられているコトバがよい。
3. 心から効果の確信をもてるコトバがよい。
4. 短いコトバの方がよい。——と思えます。

それらを２００８年7月21日の私のホームページに書いた発信文の中の、日本人の特性とともに合わせて御理解ください。

そしてそのポイントは日本語の特性にあるのだと知ってほしいのです。

これで本書の「あとがき」を終りますが、ぜひ読者によい真言《マントラ》を唱えて上手に生きてほしい……とお願いしておきます。

真言《マントラ》は「波動の法則」と「鋳型の法則」から考えまして、必ずよい効果があるはずです。

読者の御多幸を祈っています。

なお私の体調は、急速に回復しそうに思います。

これも「絶対によくなる。大丈夫。必ずよくなる。ありがとう」と毎日、気がつくたびに寝室のベッドの横の壁面に、福岡市に住む特に親しい歯科医の友人（村津和正さん）から書いてもらった彼の直筆の書を貼《は》り、唱えてきた「真言《マントラ》」効果のように思います。

波動の法則　世の中のものは、すべて波動を発している。波動には、①同じ波動は引きあう、②違う波動は反発しあう、③自分が出した波動は自分に返ってくる、④優位の波動は劣位の波動をコントロールできるなどの法則がある。
鋳型の法則　生命にも鋳型があるように、すべてのものに鋳型があるとする考え方。ここでは、真言が鋳型となってよいことが実現するということ。

いずれにしても、うれしいことです。

なお本書執筆に当り、私の友人の真言《マントラ》研究家の市川尚さんと、私の秘書の相澤智子さんに非常にお世話になりました。助かりました。

そのことをここに報告してペンをおきます。

２０１１年11月29日

自宅書斎にて　著者（あとがきここまで）

前記の中山康直さんや、大昔の日本文字などの研究家の吉田信啓さんは、一二三祝詞は、「大麻のことを書いたのだ」という考え方のようです。

以上、紙数の都合で今回の「船井メールクラブ」の第１回発信分は、この辺でペンを措きますが、来月からは、もう少し内容を絞ろうと思っています。

第2章
目前に起こるといわれる日本の国家破綻を未然に防ぐ法

日本国の財務状況は非常に悪い。しかし、最近の新聞やテレビを見ていると、どうでもよいと思えることに関係してどうでもよいことをやり、時間や費用を浪費（?）しているると思える国に関係している人が多いことに気がつく。

とくに、国会議員や官僚は何をしているのか?……と思えて仕方がない。

本来、「サムシング・グレートの意」に従うならば、法律や規則はないほうがよいし、規制もないほうがよいのが理の当然である。そんなものは、よほどのレベルの低い人を対象につくるものだろう。彼らは、日本人はよほどレベルが低いと思っているのか、どうでもよい箸の上げ下ろしにまで干渉したいと思っているように見えるのは、私のひが目?かもしれないが、気になることである。

そこで、少し考え方を変えてほしい……と思って本章の拙文を記した。

世のため、人のためになるように、一般民間（企業）人なみに官僚や公務員、そして政治家も稼いでほしいと私は思う。それは、「決して不可能ではない」と自信をもって、経験上も言えるからである。

しっかり稼ぎ、そのうえでしっかりと必要なところへばら撒いてくれればよいと思うのだが……。このような発想は間違いだろうか?　読者としても考えてほしい。

人、物、金が揃っているのに何もしない政治家と官僚

いま、日本政府は消費税、所得税、相続税などを増税したいと必死になっているように見えます。これについて私は不思議で仕方がないのです。

国有財産は、山ほどあります。日本では、一番優秀な人材も、主として中央官庁の官僚や政治家になるようです。お金も、ないと言っても国にはあります。いまのところ充分すぎるくらい使えるお金も集められるでしょう。

企業経営者から言いますと、稼ぐための３大要件の人、物、金ともに、政府には多くが揃っているのです。

しかし、日本だけでなく、世界の政界や官界では、一部の国の軍隊を例外として、現在は自ら稼ぐことをせず、もっぱらその費用は国民からの税金で賄《まかな》っているようです。

私は経営コンサルタントとして多くの地方自治体の経営アドバイスを行って

きました。

その実例は、拙著『まちはよみがえる』（2006年2月、ビジネス社刊）に十何カ所について詳述しております。

市長なり町村長が、少し経営感覚に目ざめ、企業的経営を行えば、企業に比べて多くの特権まで、政府や市町村にはあるし、使えるのですから、効果をあげるのは簡単なのです。それに民間にもタイアップさせられます。

まず、その「まえがき」の一部をお読みください。


私は長年、経営コンサルタントを業としてきました。世間では経営のプロといわれています。同時に長年、経営コンサルタント会社の経営も手掛けました。しかしその実績から見れば、経営者としてそんなに優秀だとは思えません。

私が1970年に創業した経営コンサルタント会社の㈱船井総合研究所（以下、船井総研）は、1988年に経営コンサルタント会社として世界で初めて株式を証券市場に公開しました。大阪証券取引所の市場新二部に上場

を認められたのです（２０００年を過ぎて船井総研は、東証、大証の市場一部の上場企業になりました）。また関連会社にも、㈱船井財産コンサルタンツなど株式公開企業ができました。いまではこれらの会社の知名度もあがり業績も好調ですから、船井総研の創業者で大株主という立場の私としては嬉しい限りです。しかし、これは私が経営者として優秀だったわけではなく、優秀な後継者や経営者を得たおかげです。

（中略）

ただし経営コンサルタントとしての私は、実績からいえば、１９６７年ごろからいままで失敗は皆無に近いのです。40年ほどにわたり、一日に２、３件の経営アドバイスをしてきました。トータルすると多分、数万件におよぶと思いますが、我ながらびっくりするほどそのすべてに、正しくアドバイスできたのです。

その理由は、数多くの経験を積んだことと、どんな小さなアドバイスにも生命を懸けてきたからだと思います。相手があり、失敗が許されない仕事だったからでしょう。ちなみに１９６６年までは、つまり経営コンサルタント

としての経験が不足していたときにも、私は生命を懸けて経営コンサルタント業に取り組んでいたのですが、よく失敗しました。

船井総研やその子会社の経営については、失敗しても倒産するような不安全なことは、もともとしませんでした。それに、自己責任の範囲内のことです。それゆえ、どうしても経営に、絶えず生命を懸け続けるほど真剣ではなかったようだと、反省しています。

経営というのは「経営者自身が経験を積み、その上で常に生命を懸けて、考えて、行動して」ようやく失敗しないものだといえそうです。これが、数多くの経営に直接かつ間接に関わってきた私が経験上からいえる結論なのです。

ところで、最近の10年、このような私がもっとも多くコンサルティングを依頼されたのが、「地域の活性化」と「企業再生」なのです。どちらも100件以上あると思います。

いまでは現場に行き、少し調べると、これらにつきましては「どうすれば

よいか？」がわかるようになりました。「どうすればよいか？」の中には、「どうにもならないから、地域の活性化や企業再生など考えないほうがよい」というのもあります。

私は２００４年１月に、熱海に転居しました。川口市雄市長や旅館のご主人たちと親しくなりました。皆、よい人たちばかりです。それで知ったのですが、１９６５〜１９７０年ごろ、熱海には観光客が年間１５００万人も訪れ、旅館やホテルへの宿泊客は年間５００万人以上にも上ったそうです。１５００万人以上の観光客が来た年もあったようです。

しかしいまは、観光客が年間９００万人、宿泊客は３００万人程度（？）のもようです。それゆえ「どうすればよみがえるのか？」と多くの熱海の人から質問されます。ただし「コンサルタント料を払うから、活性化策をアドバイスしてほしい」という依頼は、いまのところだれからも受けていません。

ともかく、熱海に転居して活性化に関する質問を多く受けたこと、相変わらず全国各地から地域活性化に関するコンサルティング依頼が多いこと、さ

らに今月（1月10日）に73歳となり、経営コンサルティングの第一線からはっきりと引退しようと思うことなどがあり、今後日本中で大問題となりそうな「地域活性化のポイント」を、ここで一冊の本にまとめようと思いました。私がよく知っている市町村で、よみがえり繁栄している事例を挙げ、活性化のポイントをわかりやすく解説した本を、実務家として書きたいと思ったのです。

そこで念のため、本書版元の私の担当者である瀬知洋司さんと、私の弟分でもあるフリーライターの太田さとしさんに、それらの市町村を訪ねて取材してもらいました。それぞれの市町村で私の紹介する方々に会って話を聞いてもらい、「よみがえったまち」の状況を確認してきてもらうことにしたのです。第二章の14市町村の現地レポートは、彼らの取材テープや取材メモ、それに写真も参考にして、私の知識や意見とともに書き上げたものです。彼ら二人は約一年かけて取材してきてくれました。よくやってくれました。

そして出来上がったのが本書第二章の原稿です。（後略）（一部転載ここまで）

日本国破綻へのカウントダウンは５年前から始まっていた

はっきり言いまして、ノウハウはあります。いくらでもあると言えます。国も地方自治体も稼げて儲かると思います。しかも優秀なトップさえ得れば、低利益率でもむちゃくちゃ稼げるでしょう。国民や市町村民も喜ぶでしょう。

今年１月にアメリカの格付会社により、ヨーロッパ９カ国の格下げが発表されました。

いままでの発想法で言いますと、ヨーロッパで約２００兆円強、アメリカだけでも１０００兆円近い現金がないと、国家破綻は目前だと考えられます。ともに知恵のないことだと思います。

それは、経営感覚をまったく忘れたいまのリーダー層の行動故のことだと考えられます。

ちなみに彼らは税金をとるか借金をすること以外に収入の方法を思いつかな

ヨーロッパ９カ国の格下げ　スタンダード＆プアーズによる国債の格付けの引き下げ。フランスとオーストリアがAAAから１段階下のAA＋に引き下げられた。２段階引き下げられたのはAからBBB＋となったイタリア、AA－からAとなったスペインのほか、キプロス、ポルトガル。このほか、マルタやスロバキア、スロベニアも１段階引き下げられた。

いようだからです。頭が固すぎます。

日本も同様で、このままいけば今年（２０１２年）から2、３年中にＧＤＰ（国内総生産）の２００％の国債に押しつぶされるでしょう。

すでに普通会計の3分の１にも拡大し、増加をたどると思われる医療費だけでも、日本国は10年ももたなくなると思われます。

ともかく増税をできるだけ行い、利権を考え、票を考え、問題箇所にばらまくだけの能しかない政治家、官僚たちのやり方を見ていますと、経営のプロとして、きょうは書かずもがなのことを書きたくなったのです。

収入を計らず、限界まで増税するしか能のない政治家、官僚に「明日を任せておいてよいのか」と、きょうは余計なことかもしれませんが、一筆呈上しようと思ったのです。

すでに米国の地方の州では、教育、病院、道路、警察、消防などがストップし、住民が自ら自警団をつくらねばならなくなっています。たぶん、もうすぐギリシャもそうなるでしょう。近々に日本も、そうなる可能性があります。

経営のプロとして言いますと、一企業の将来（少なくとも5年先まで）がど

国債発行残高　2012年度は、過去最高の174兆2313億円に上る国債が発行される。これにより、年度末には国債発行残高が708兆9000となる。これに、借入金や政府短期証券を合わせると、国の借金は1000兆円を超える。財務省はOECD（経済協力開発機構）の予測を使って、国債発行残高の対GDP比が、2012年には暦年ベースで219.1％、すなわちGDPの約2.2倍となるとしている。

政治家と官僚に任せていたら、
5年後に日本は破綻してしまいます。
国としての収入も考えるべき時期でしょう。

うなるかが、もっともよくわかる分析指標が、「ＳＰＬＥＮＤＩＤ21」です。

これは私も指標づくりに関係した有名な指標で、同名の会社㈱ＳＰＬＥＮＤＩＤ21（http://www.sp-21.com/）が運営しています。私は同社の数少ない創業株主です。

同社に今年のはじめ、過去5年間の日本国を分析し、これからを予測してもらいました。以下がそのレポートです（詳しくは、私と同社の山本純子社長の共著『トップコンサルタントの計数力』（２００９年8月、同友館刊）を御一読ください）。

ＳＰＬＥＮＤＩＤ21ＮＥＷＳ

（第74号、２０１２年1月15日発行）

今回は、日本国を分析してみました。２０１０年3月期までの5年間です。ギリシャなど他国の破綻が問題となっていますが、日本国はどうでしょうか。

企業力総合評価は４期連続下落しています。５年の推移は、82・36↓80・17↓78・10↓69・10↓60・71です。このような状況は、経営陣が無機能化している時に現れます。過去の例では、㈱マイカルの倒産時、㈱ＮＯＶＡの不祥事発覚時でした。㈱マイカルは、役員間の争い、㈱ＮＯＶＡは、暴走社長と、社長の暴走を止められない役員で経営していました。

そういえば、日本国は社長に当たる内閣総理大臣が過去数年間、１年毎《ごと》に代わり、日本国としての経営のかじ取りが全くできていませんから、当然です。

悪化成り行き倍率（破綻懸念60点までの時間軸）も２００７年があと10年、２００８年があと９年、２００９年があと２年、２０１０年があと１年と急速に余命を減らしています。破綻懸念まであと１年と言っても残ポイントは０・71で、ほとんど破綻懸念です。

営業効率（儲かるか）は赤信号領域の底値を付けています。底値は、もう商売をやっていても仕方がないので辞めて下さい、と言うレベルです。

営業効率は、売上高利益率の財務指標を統合計算しています。日本国に売上高はありません。売上高は税収です。

日本国の場合は、税収以上に経費がかかり、どうしようもない状況です。収入がないのにお金を使えば借金・国債が増えるのは当たり前です。

企業で営業効率が底値を打っている例は雪印乳業㈱、㈱メディネットと多くはありません。両社ともV字回復をしていった軌跡が救いです。

資本効率（資本の利用度）も底値です。

唯一天井値なのは、生産効率です。従業員数に当るものは総務省統計の「国の行政組織定員」です。

資産効率（資産の利用度）も、底値です。資産効率が底値な例は、バブルで借金と不良資産にまみれて倒産した佐藤工業㈱、㈱青木建設が思い出されます。流動性（短期資金繰）が４期連続下落しています（２００９年までの日本国分析のＳＰＬＥＮＤＩＤ21ＮＥＷＳ第57号では５期連続天井値でした。国債残高をすべて固定負債で分析していた為です。今回の分析で、２０１０

国債残高推移

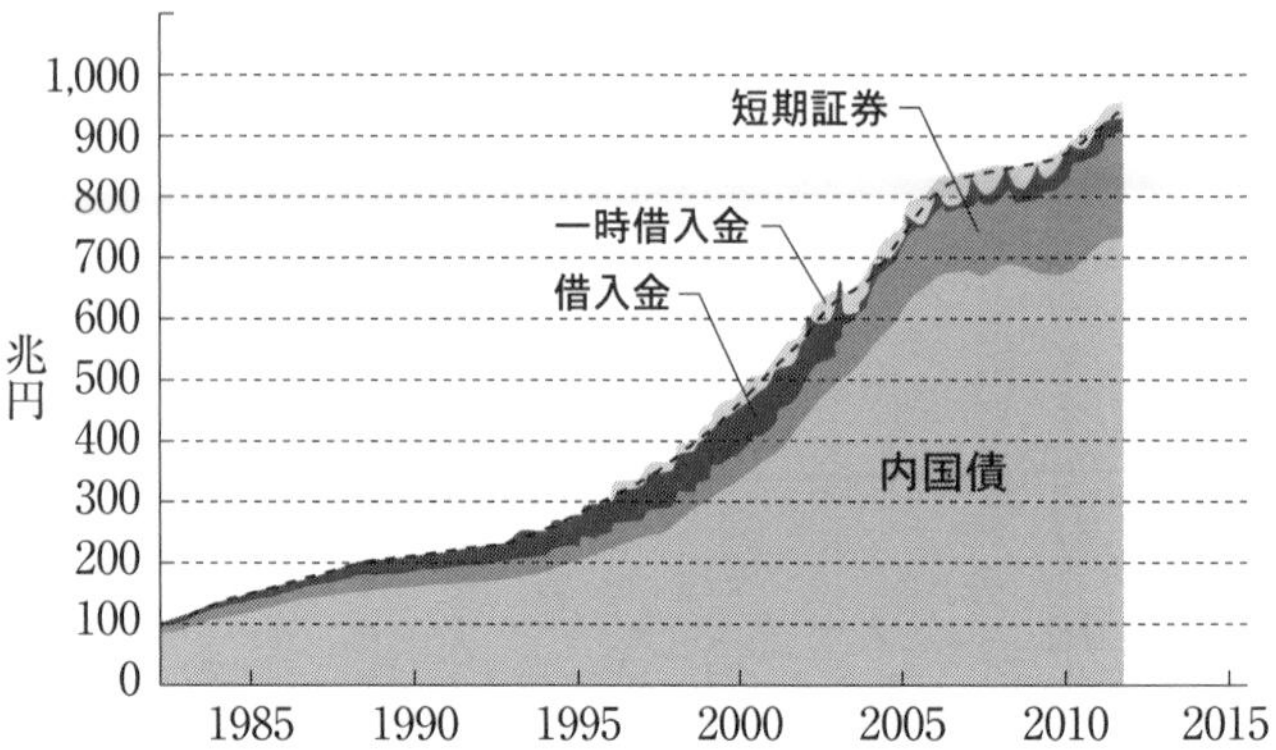

年の国債残高から、長期国債、中期国債、短期国債を調べ、長期国債の残高の10分の1、中期国債の3分の1、短期国債の全額を、固定負債から流動負債に振り替え、2006年から2009年までの4年間は、2010年の振替比率21・97%で、流動負債へ振り替え計上しました）。概算計上ではありますが、実態に近くなったのではないでしょうか。

　安全性（長期資金繰）も底値です。日本国の破綻へのカウント・ダウンは5年以上前に始まっているのです。佐藤工業㈱、青木建設㈱は、底値3年で倒産しました。通常はこれほど

持ちません。バブル崩壊で、2社を破綻させると多額の貸倒損失が発生する銀行が支えた為です。

それ以上に、日本国の安全性は悪いのです。

前ページの図は国債残高のグラフです。尋常ではない増加が理解できます。格付投資情報センター（R&I）は2011年12月21日、日本の外貨建て・自国通貨建て発行体格付けをAAAからAA+に引き下げると発表しました。R&Iの引き下げより、SPLENDID21の分析の方が厳しく感じ、右国債残高グラフはSPLENDID21の分析結果のイメージに近いのではないでしょうか。

まとめ

日本は民主国家です。日本国の現状は、日本人として生き方を問われた気がします。昨年起きた東日本大震災の復興の為に、国債が増えたのではありません。そうであれば、意味もあったでしょう。これは2010年3月まで

の日本国の分析なのです。（レポート転載ここまで）

このレポートに関する問い合わせ先：株式会社ＳＰＬＥＮＤＩＤ21
電話：06―６２６４―４６２６　メール：info@sp-21.com
過去のニュース、セミナー情報は http://sp-21.com

いたって、淡々と解説していますが、いかがですか？　とんでもない情況です。このままでは日本は潰れそうです。以上が現実です。

税金はとるものでなく、国や公共団体が稼ぎ与えるもの

そこで、解決策を言いましょう。これは、あくまでも私個人の案ですが、いまの私は体調を崩し、第一線に出られそうにないので、他には考えつきません。

１．いまの政治家や官僚は、基本的にはあてにできない存在なので、日本の優

秀な経営者、経営コンサルタントを100人ぐらい選び、これから数年はお国のために、彼らの選ぶ、人、物、金を基礎要件に、いままでの国家事業の一部の民営化、立て直しをしてもらいます。まず今年中に、入札で100事業くらい決めるのです。

2. 以上に合わせ、来年中に、日本の経営者に同一条件で多くの事業を入札して任せてみるのです。

3. その1、2を今年か来年の総選挙で国民に信を問います。上手にやればOKでしょう。日本の国民は、政官人と違って本能的に優秀だと思えるからです。

たぶん、大枠はこれでいいでしょう。とはいいましても実行の中心になる人が必要です。

私はその人たちに、たとえば私が育んだ人材中では、小山政彦㈱船井総合研

究所会長や、㈱Ｓ・Ｙワークスの佐藤芳直代表、高嶋栄㈱船井総合研究所社長、そして外部の人材としては、小宮一慶㈱小宮コンサルタンツ代表など、多くの実績のある名コンサルタントをあてて、案を練ってもらうのがよいと思います（私も出張りたいのですが、５年をこえる難病で、まだ完全に癒《い》えていないいまは、これらの人たちに大事なところを任せるのが、はるかに効率的だと思います）。

こうすればたぶん、多くのさわぎ（変化）が出てくるでしょうから、とりあえずは、現在の政治家、官僚から実情を理解できる人の応援グループをつくり、あまりにも官僚人事など変化の大きい部分は、あとに回したほうがいいでしょう。

対応策は、いたって簡単だと言いたいのです。

あとはそのための根回しだけです。

それは国民が認識すれば可能でしょう。

㈱船井総合研究所だけでも、４００人以上の経営コンサルタントがいます。

みんな実務家です。しかも生命懸けで、学び、知り、考え、経験を生かし、与

えられた仕事に打ちこむクセがついています。

社風は自由、給料は出来高払い制を加味した固定給ですが、仕事には責任が伴います。彼らは責任をもちます。引き受けた仕事は、生命を懸けて取り組むはずです。

このような仕組みや人材は、その気にさえなれば、日本中に何万システムもつくることができ、何十万人も参加してくれることになるでしょう。マクロな視点さえ決まれば、中小企業のトップ経営者は、たいてい生命懸けですからみんな有資格者です。

もっとも稼げるはずの国や地方公共団体が、一銭も稼がず、しかも公務員は自分の地位と給料が安定していますから、おおむね働かず、サービスが悪く、いまのところどうにもならない人が多いように見えますが、大違いです。

これは、医師でも勤務医の無責任ぶり、サラリーマンぶりと、彼らが独立開業したとたんに大変化をとげることを見てもよくわかります。

B＝f（E・P）

「B＝行動、f＝函（関）数、E＝環境、P＝人間性」ですから、人間の心理や行動は、この公式ですべて説明できそうです。

したがいまして日本人は、おおむね知的レベルが高く、客観的に判断できますので、心の底からピンチであるいまの状態を知りさえすれば、もっとも上手にこのような難局に対面できるだろうと思われます。

出るを減らし、入るを増やし、ムダを削ることから始め、稼ぎが増えてくれば、それを全国民に分配すればよいのです。

やがて無税国家ができ上がるでしょう。

税金はとるものでなく、国や公共団体が稼ぎ、与えるものだ……というのが常識になれば、こんなに素晴らしいことはないではありませんか？

第3章
生まれてきた目的を思いだして正しく生きよう

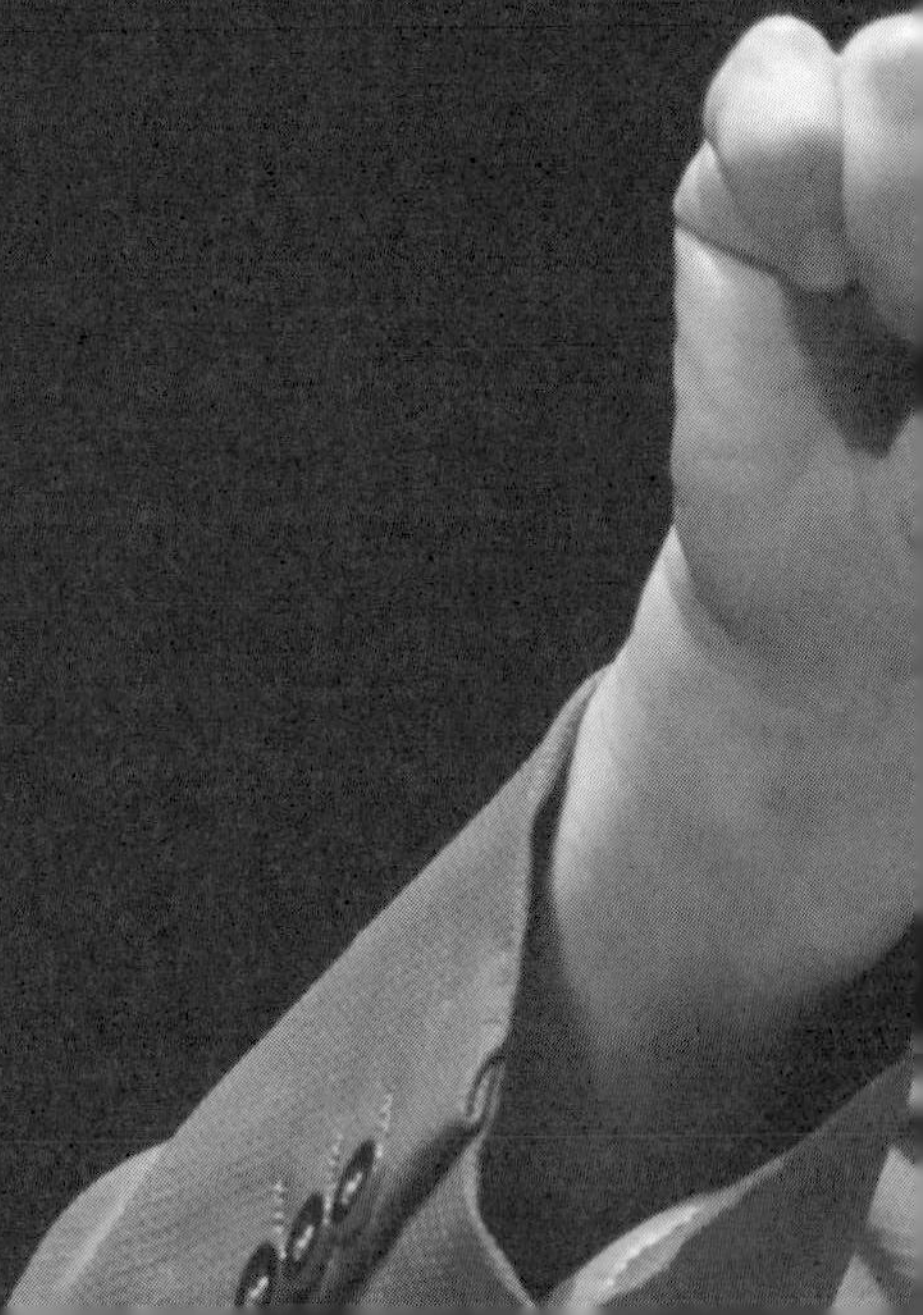

どんなことも簡単にわかるように説明して、実践できるようにしてしまう簡易化の才能が私にはありそうである。よい能力だと思う。

そこで、この能力を活用して間違いなく自分のなかに存在すると思われるサムシング・グレートの分身と、簡単に自分の顕在意識が一体化して「正しく生きる方法を知るコツ」を説明し、実践法を綴ったのが本章である。

実践法と理由は、本章内にわかりやすく書いておいた。読めばご納得いただけると思う。私流にいえば、世の中というのは、実は単純、わかりやすくできていると思われる。

とするならば、生きるうえで、難しく考えてつまらない苦労をすることなどはないといえよう。単純にわかりやすい「船井流でよい」と納得して、確信をもって実践していただければ、それは実現すると思われるからである。

ぜひ本章で述べた手法を実践するご検討をお願いしたい。労はほとんど不要だと思われるので、これは必ず行ってみてほしい。正しく生きるためにも、読者の皆様に心からお願いいいたします。

死は終わりではない。あの世のことを知っておこう

きょうは、船井メールクラブの会員さんへの私の3回目の発信になります。

そこで、余暇時間はもとより、時には専門的に、50年間ほど研究した人間の構造、人間のあり方などを、この辺でまとめてお伝えしたいと思います。紙数の関係がありますので、簡単に既発表文の引用なども活用し、ポイントだけを記します。

昨年（2011年）10月31日に、私はヒカルランド刊で『人間の「正しいあり方」』という著作を発刊しました。

主として政木和三先生の開発されたフーチパターンによる研究に焦点を当てて書いたものですが、書いたことは事実である……と確信をもっています。

それは、おおむね次のようなことです。『人間の「正しいあり方」』より抜粋

政木和三先生　1930～2002年。大阪大学で工学部の全学科を習得。1000以上の発明をして特許申請せず、自動炊飯器、自動ドアなど数々の電気製品の開発に貢献。生命体エネルギーの存在を説き、物質文明から精神世界への道を開いた。
フーチパターン　政木先生が発見した、磁石の振り子の揺れ方で人間性とエネルギーの大きさを知るパターン。前提として脳波をΘ波にしなければならない。

します。

1．人間とは、どんな存在で、今後の人間世界がどうなるかなどにつきましては、１９９０年ごろにはフーチによりまして、ほとんどのことがフーチ研究者などには、正しく分かっていました。フーチ（波動探査術）についていては、本書内で詳しく説明しています。また、参考書も多くありますし、なぜいろいろなことが分かるのかとか、その証明につきましても少し勉強してもらえば、だれにでも肯定してもらえるだろうと思っています。すでにキネシオロジーテストなど多くのテストでフーチは何百年も前から実用化されています。

2．人間は、本質である「魂」と「魂の容れ物の肉体」が一体化して成りたっている存在です。しかも「魂が主」で、「肉体は従」の存在なのです。

キネシオロジーテスト　筋肉反射テスト。O–リングテストもその１つで、一方の手の親指と人差し指で円をつくり、もう一方の手にタバコなど体に有害なものをもつと、ほかの人が指でつくった輪にちょっと力を加えただけで円が簡単に開いてしまう。この方法で、肉体に関することだけでなく、さまざまな解答が得られる。また、腕を横に上げて、下に下げる力を加える方法もある。

3．受胎した時に「魂が肉体と一体化」します。そしてわれわれはこの世の人間となるのです。

4．「魂」は不死の存在と考えてよいと思います。いわゆる根元的な存在です。「肉体」は、「この世」での死とともに消滅する補助的な存在ですが、「魂」は「あの世」でも生き続けていて、人間の目的である「魂の成長」＝人間性と霊性の成長を続けるのです。

5．あの世に行っても、「魂」は、この世にいる時の「肉体」と同じように「幽体」とか「霊体」と呼ばれているカラダを持っており、やはり「魂とそれらのカラダ」が一体化していることが分かっています。だから人間は成長しやすい存在なのです。

6．この世に生まれて来る時は、「魂」が「肉体」を選ぶのです。分かりやすく言いますと、子供が親を選んで生まれてくるのです。両親は精子

と卵子を合体させて子供の肉体を創りますが、子供の「魂」までも選べないのです。そして親子の存在関係では、「主は子供の方にあり、親はあくまでも従」なのです。

これは大事なことなので、ぜひ覚えておいてください。

7. われわれの故郷は「あの世」です。「この世」は「魂」の勉強の場所なのです。この世は、もっともスピーディーに魂が成長するためのものでもあるのです。いまの人間はまだレベルが高くないので、「生老病死」など、この世ではいろいろな悩みが発生して勉強しやすいようになっています。だから、ふつうは「この世」では安定して幸せには生きにくいようになっているともいえます。

8. また、いまのところ、地球人はまだレベルが高くないゆえに、生まれてくる時に生涯の99％くらいをより上位の存在（？）との相談によって決めてもらい、個々の人間の魂もそれを認めてから、生まれるもようで

す。現状ではこの世の人間の大部分は、自由に委せるとまだ世の中の収拾がつかなくなるレベルの存在だからのようです。とはいえ、われわれ人間の未来が１００％決められているわけではありません。努力をしますと、予定よりよい方に変えられるようです。悪い方にもです。

9．近年、地球人の一部の進んだ人たちですが、人間性と霊性のレベルが高くなりましたので、いままでの地球の地球人についてのシステムが、その先進的な人々にあわせて今後は大きく変わりそうなのです。

多分２０２０年前後に大変化すると思われます（転載ここまで）。

ともかく、われわれ人間が本来常住しているところは「あの世」で、「この世」は、われわれの本質である霊魂が向上のために肉体をもって修行するところだと判断できます。それを、まとめると、次のようになります。

私たちの故郷は、どうやら「あの世」らしい。そして私たちの本体は、霊魂＝意識体である。この地球という学校へ勉強にきて、いま寄宿生活をして

いる。故郷へ帰りたがってはいけないから、学校へ入る前に一時的に故郷の記憶はみんな消去される。

この学校での生活は、制約があって、努力しないと非常に生活しにくいように仕組まれている。だから、誰もが、いやおうなく勉強する。ここでは、肉体という不便な容れ物のなかに各自が閉じこめられる。「あの世」では見たいものは何でも見られた。ほかの人たちの気持ちも、そのまま分かった。どこへでもいきたいところへすぐいけた。これでは、楽で便利すぎて、なかなか努力しないから、この世の制約のある肉体という容れ物のなかで、霊魂という生命体の本体に勉強させるのである。

この学校や寄宿舎では、誰もが努力して食べていかなければならない。他人にも負けたくない。向上したいと考えるようにできている。そうしなければ、生活しにくいのである。こうして勉強しているあいだに、やがて容れ物＝肉体が老化し、故障し、壊れて、なつかしい故郷の「あの世」へ帰れるようになる。

ただ、学校に入る前に、故郷のこと＝「あの世」の記憶は消去されている

し、なるべく学校でいろいろ学ぶために、この学校（この世）は最高の場所だと教えられる。そのための容れ物＝肉体はなるべく大事にし、老化や故障を起こさないようにし、ほかの仲間と仲よくするのがよいのだなということを、学校に入ってから自然と覚えるように仕組まれている。

　また、学校で効率的に勉強させるために、故郷で親しかった者や、昔、学校で知りあいであった霊魂たちを、なるべく一緒にするようなこともよく行われる。学校や寄宿舎での記録は全部残しておかれるし、今後、この学校へ再教育のために入る時に、それを参考にして入学日とか容れ物とか仲間が決まることになる。

　さらに、この学校で学習したことは、霊魂のなかに貯えられ「あの世」＝故郷で整理され霊魂のものとなるし、また再び学校に入学した時に、それが活《い》かされることになると考えれば、だいたいご理解いただけよう。

　こう考えると、「あの世」のことや、「死は終わりではない」などということは、人間は知らないほうがよいともいえる。

　ただ現在では、人間という生命体の本体である魂のレベルが進化し、高く

なった人も多くなったので、生と死の原理などが、われわれ人間に徐々にではあるが明らかにされてきた、と解釈したい。人間は、野獣より神に一歩近づいたようだ。だから、これからは天地自然の理を魂のレベルに合わせて少しは知ってもよいし、もっと知るよう努力するべきだろう（転載ここまで）。

指導神＝守護神に正しいことを頼んで実現する生き方

いままで述べたことをまとめますと、この世で生きているわれわれは、肉体と霊魂の一体化した存在といえるようなのです。

しかも本質は霊魂ですから、人間として、自分の霊魂に頼むことは、正しいことなら何でもいいはずで、たぶん霊魂もそれを聞いて実現させてくれるようになっていると思います。

ところで、最近、これら以外にはっきりしてきたことがあるのです。

それは、もう一つ創造主の分身と言ってもよい存在を各自が身体のなかにと

いうか自分のなかにもっているようだ……ということなのです。

私は、その存在をいまは、各自の「指導神」と呼んでいます。これは守護神でもあるといえます。

それにつきましては、『ザ・フナイ』の本年2月号の私の特別寄稿文に次のように書きました。

その直後に親しい友が亡くなったのです。

人間としましては、やがて肉体は死なねばならないのですから生きている間は有意義に楽しく自然の理に沿って自由にのびのび生きればいいといまは思っています。

そのように思い出したのは、その後2冊ほど読みごたえのある「なるほど」と思える内容の本に巡りあったからです。

1冊は、天野聖子著『人生を変える自問自答法』（2004年10月27日ＰＨＰ研究所刊）でサブタイトルは、「すべきことがわかり、生きがいに出会う」となっています。

指導神　人によっては、守護神、守護霊、大いなる自己、ガイド、ハイヤーセルフ（高次自己）として認識していることもある。その人とまったく別の存在ではなく、サムシング・グレートもしくは神もしくは創造主とのあいだに位置し、三次元の肉体をもった私たちより高次元の自己存在である。

一読してもらえば「なるほど」とお分かりいただける内容と思いますが、天野さんは、すべての人は、それぞれが「大いなる自己」を自分の中に持っており、それはサムシング・グレートの分身である……という考えのようです。

そしてだれでも訓練し、人間性を高めると、このすべてを知っている「大いなる自己」と問答でき、なんでも正しく教えてもらうことができるということのようで、その方法もかなり詳しく同書には書かれていました。

それを「自問自答法」と、同書では記されていますが、肉体、魂のうえに、すべてを知り正しく導いてくれる「大いなる自己」というような存在が自分の中にいるということは、経験上も「そうだろうな」とよく分かる気がしますし、肯定しています。

人間って、すばらしいな……と思って読み進めたのですが、彼女に連絡すれば、詳しく教えてくれると思います。連絡先はコズミックアカデミー（TEL・FAX：03—3470—0829〔2012年4月1日からFAX専

サムシング・グレート　「何か偉大な存在」を意味する。神もしくは創造主といっても構わないが、宗教的な意味はまったくないので、あえてこのような呼び方をする。

用に。新電話番号は03—6438—9474）HP：http：//www.cosmic-a.org/index.php）です。

それだけの価値は充分ある著作でした。なお、この天野さんは、私とは親しい人で、よき主婦であり、よき人生のアドバイザーです。これらの彼女の生きざまの理由が分かったように思っています。

2冊目は、坂本政道著『激動の時代を生きる英知』（2011年12月22日ハート出版刊）で、こちらも、私の親しい体脱名人の最近著です。サブタイトルは「内なるガイドにつながりアセンション」ですが、この本も読めば「なるほど」とよく分かります。彼の「生きざま」まで納得できますから、実にたのしい本です。よろしければぜひご一読ください。よくまとまっています。

著者は、アクアヴィジョン・アカデミー（TEL：03—3267—6006　HP：http：//www.aqu-aca.com/）の代表者でもありますので、質問のある方は、彼にお問い合わせされるとよいでしょう。具体的にガイドにつ

アセンション　地球がそこに住む私たち人類を含め、5次元へ向けて次元上昇するという考え方。以前は2012年12月22日もしくは23日に地球がフォトンベルトという光子の帯に突入するとともに起きるという説が強かったが、現在は私たちの意識の向上とともに地球も人類も一緒に次元上昇するようだと考えられるようになっている。

ながる方法などを教えてくれるようです。

ともかく天野さんや坂本さんの著書を読みますと、人間の奥深さや生き方について、よりはっきりし、自信が湧いてきました。しかし、あまり深く彼らの言う細かいことにこだわらず、自由にたのしく、ただし「良識」と「真の自然の理」に従って、正しく生きれば充分だと私は思います。

もちろん基本は、全ての存在への「愛」と「思いやり」であり、世の中の全ての存在は一体だ……という原則を知ればよいのだとここでは言っておきたいと思います。


ここで現実の話になります。ともかく去年12月8日、友人が亡くなりました。その親しい友の逝去から、50年前に25歳で亡くなった妻のことを思い出し、「生死」とか「人間」とかにつきまして、いろいろ考えさせられ、そしてアタマの中がすっきりした去年12月からの1カ月ばかりの日々でした。

しかし、このプロセスで大事なことに気づいたのです。それは「人間のあり方」と「今後について」なのです。

真の自然の理　①自他同然、②効率的、③互助協調、④公開、⑤自由、⑥自己責任、⑦公平、⑧平和、⑨ポジティブ、⑩万能などの特徴がある。「天の理」とも呼ばれることがあり、その一部に「地の理」と呼ばれる地球だけにしか通用しないルールが含まれている。アセンションとともに、地球は「真の自然の理」の時代になると考えられている。

いま巷《ちまた》では、地球や地球人は「まもなくアセンション（次元上昇）しそうだ」などという説があります。多くの著作も出回っています。

ただ、現在の多くの地球人の生きざまを見ていますと、全地球人にとってそんなことは絶対にありえない……と思えて仕方がないのです。

日々の新聞やマスメディアの報じる人たちの生きざまを見ても聞いても、いまの地球人のほとんどは「自分さえよければよい」と考えているように思えます。しかも目先さえ上手に我欲を追求でき満足させればよい。良識や正しい自然の理などを考えていない人々が大多数だと思えてならないのです。

＊

なお、以下は天野聖子さんと坂本政道さんの著書の目次です。

人生を変える自問自答法（天野聖子著　ＰＨＰ研究所刊）

目次

第4章　自問自答法の基本の基本
自問自答の四つのステップ
自問自答の際の心の姿勢

第5章　さあ、実践してみましょう！
1．丹田呼吸法
2．チャクラ活性呼吸法
3．チャクラバランス調整法
4．アー・オー法
5．自問自答を行う

第6章　自問自答を上達させるために
意味のある質問の作り方
解決法は、即実行する
自らを理性的に省《かえり》みる分析をする

大いなる自己は誰の中にも存在している
霊と「幽霊」の関係
いかにして執着心を捨てるか
釈迦はなぜ悟ることができたのか

第12章　呼吸の奥義
サンスクリット語、英語などでは、呼吸は神秘的な行為
日本古来の呼吸法・丹田呼吸法
チャクラ―宇宙エネルギー―との交流の中枢

第13章　現実を見通す心眼
現代人の迷いの根源
「自他一如」――「他人も自分」という体験

付記――ある女性の「自問自答」体験談

ご案内（『人生を変える自問自答法』目次ここまで）

激動の時代を生きる英知（坂本政道著　ハート出版刊）

目次

5. 人生を自分が創造していると実感／自分の将来を設計する／第3密度でも自分の現実は自分が創造している
6. 死後世界との境が薄れる／死後についての理解が深まる／死の恐れが薄れる／死後世界が変わる
7. さまざまなものと共感する／古代の見方
8. おかげさまで生かされているとわかる

第5章　第4密度の世界

9. 喜びにあふれる
10. 所有しない／等価値制度／生き方をシンプルにする　思いやりと分かち合いと自然との共存
11. 脳と肉体の変化

〈コラム〉第5密度とは

第2部　ガイドにつながる

第1章　ガイドと自分の関係
〈コラム〉ガイドの姿

第2章　日々の生活で、ひらめきやメッセージ、導きに気づく
意思を伝える／ネガティブな存在は引き寄せない／ひらめき、メッセージ、導きに気づく／ガイドのシンボルをもらう、名前をつける／もらったメッセージは本当にガイドから？

第3章　ヘミシンクでガイドにつながる
ガイドからメッセージをもらう／ガイドと問題解決／交信のポイントを作る／交信ポイントを使い、ガイドと遊ぶ想像をする／交信ポイントを活用する／ガイドのシンボルをもらう。名前を聞く／4人のガイドに来てもらう／フォーカス21でガイドに会う
〈コラム〉非物質の存在につながるのが怖い／「内なるガイドにつながる」

ヘミシンク　故・ロバート・モンローさん（1915〜1995年）が開発した体外離脱を体験するための音響技術。左右の耳から微妙に異なる周波数の音を聞くと人は変性意識状態となる。アメリカのモンロー研究所では、滞在型の各種プログラムがある。また日本でも、各プログラムを体験するための CD が販売されている。モンロー研究所の公式サイト→http://www.monroeinstitute.com/

第４章　ヘミシンクでガイドに瞬時につながる
交信ポイントをイメージする／ガイドの名前、シンボル、姿を思い出す／パソコン画面上のアイコンをクリックする

第５章　ヘミシンクでガイドと交信する
会話する／会話を想像する／イメージを受け取り、言葉で聞き返す／理想型／情報の塊

第６章　ノン・ヘミでガイドとつながり、交信する
頭の左上の片隅にある空《から》の空間を思い出し、それを引き寄せる／ガイドの視点に意図的に立つ

第３部　自分のアセンションを促す
第１章　恐れや信念を手放す

第2章　生命エネルギーを取り込むエクササイズ
共鳴／エクササイズ／環境・姿勢・呼吸とともにイメージング／発声とイメージング／声が反響する場で行なう
第3章　リリースとリチャージ
エクササイズの目的／恐怖心の構造／具体的な解放の仕方／留意点
あとがき（『激動の時代を生きる英知』転載ここまで）

私は、ここに紹介しました天野さんや坂本さんのお2人とは親しく、かなり丹念にお2人の本を読みました。

一応「なるほど」と思いました。

しかし、どちらもかなりトレーニングや知識が必要です。自分ひとりでおぼえるのはむつかしいようです。

もっとやさしい方法はないか？

しかも、だれでも簡単に、自分の中にいると思われる、自分を善導してくれる指導神の意見を知り、正しく生きる方法がないかを今年（２０１２年）の正月休みにしっかりと考えたのです。

そうしたら分かってきたのです。


ここで、自分のことを少し述べます。

私は、自分ではいたって平凡に、あるがままに79年の人生を送ってきました。それだけの人間です。

目の前に来た、やらねばならないことと、興味のあることを学んで実践してきただけです。

それでも一人一人が異なりますように、人さまとはかなりちがった人生を歩んできたようです。そのうちに、人さまとちがう特性も持っていることが分かってきました。それを三つか四つだけ書きましょう。

その中で、自分でも分かり、親しい人たちが認めてくれるのは、非常に強

い想念力を持っているようです。特に私の「強い思い」は実現しそうです。フーチ研究家の古村豊治さんによりますと、その想念力で「地球の低層四次元界を消滅させた」と言います。これは拙著『人間の「正しいあり方」』に少し書いております。そのポイントのところだけをここへ紹介しますと、つぎのようになります。

いまから10年くらい前になるかと思います。古村さんが「死んだあと、みんな極楽へ行けるとよいのですがね」と言いました。

そこで死んだあとに霊魂が、ここへ行くとロクでもないといわれている「低層四次元界（いわゆる幽界の中の芳《かんば》しくないところ）を、消滅させればよいのだ」と、ふと思ったのです。そこで一つの試みを実行してみました。

私には幼年時から、「できると確信を持って、強く思って気合いを入れる」と、それが実現するという変わった特性というか能力があります。それにこの時は、なぜか確信が持て、この、とんでもないことを試みてみた

私たちの本質である霊魂から
指導神につながれば、
思いは実現します。

くて仕方がなかったのです。そこで、地球の「低層四次元界が消滅した」と確信して強く思って、気合いを入れました。古村さんには、その旨を連絡して、フーチでのチェックを頼みました。

その1週間ほど後に、古村さんから連絡があり、「船井先生、見事に消えましたよ。そのために、そこから情報をもらっていた霊能者たちが、まったく情報がとれなくなり、てんやわんやしていますよ。幽界を消滅させるなんてことが船井先生はできるのですね。びっくりしましたよ」ということだったのです。しかし、そのことにつきましては、実行したとはいえ、ほとんど興味のなかった私は、いつのまにか忘れてしまっていました。当時の私には無関係なことだったからです。

ただ考えてみますと、「聖書の暗号」などによりますと「闇の勢力の本体」だった宇宙の知的種族は地球域を90年代後半に去ったはずなのですが、彼らが去る時に低層四次元界に人類支配のための情報源というか何か芳しくないものを残していった可能性があるように思います。それゆえに私の

聖書の暗号　旧約聖書のモーセ五書のヘブライ語の原典を一定の文字数ずつ飛ばして読んでいくと、さまざまなメッセージや預言が出てくるというもの。
闇の勢力　イルミナティ、フリーメーソン、サバタイ派などを生んだ勢力。「聖書の暗号」などの研究で、その本体はすでに1995～1998年に地球域から去ったと考えられるが、その残滓がアセンションを妨害している可能性がある。

今生の使命（?）上から、ここを消滅させたかったのかもしれないと思っています（転載ここまで）。

わかりやすい文章で生まれてきた理由を書いてみた

たしかに私には、多くの人が認めているこんな能力がかなり強くありそうです。

それらのことがわかりますので、他人さまを悪く思ったり、批判することは、この能力に気づいてからは、何十年もしていません。人さまを否定したり恨んだりしなくなりました。この能力を自分のために活用することもやめました。何だか気がとがめるからです。

二番目の特性は、わかりやすい文章を書けることのようです。よい特性なので充分活かしたいと思っています。以下は１月６日にハワイへ行った孫に書いた文です。

純平くん に

２０１１年12月27日

祖父の幸雄じいちゃんから

来年１月６日からハワイへ行くのだって？

僕は、君にいろんなことを話したいのだが、いま病気でしゃべれない。そこで、この手紙を書くことにした。ハワイへ行っても、時々読み返してくれたらよい。

まずお願い。

『にんげんクラブ』という雑誌の２０１２年１月号を、ぜひハワイへ持って行ってほしい。一番はじめに、この雑誌に載っている池川明先生（お医者さ

ん、君のママも友実子もよく知っている人）の言っていることを知ってほしいのだよ。

それから、君のママ（僕の娘だね）の書いた『神さま、ママを見つけたよ！』という本もぜひハワイまで持って行ってほしい。勉強になるよ。

どうやら、あの世は、おだやかなところらしい。

それでは勉強があまりできないので、人間は、あの世から時々この世へ勉強しに生まれてくるらしい。


しかし生まれてくる時に一生涯、何をするか、神さまと相談し、自分でも了解して認めてくるらしいのだ。決めてくるらしいよ。

君は、阪神大震災の時に、佐野浩一、ゆかり夫婦（君のパパとママ）を、たすけるために、ママのおナカに入ったんだと思う。

そして、その後も、病気や苦労をしていっしょうけんめいに勉強しようと思っていままで生きてきたんだ。

これは僕の、いまの辛い病気になったのもそうだ。

この世では、「できるだけ勉強したい」と、立派な人（?）ほど思って、辛いこともえらぶらしい。


純平は立派な人だ。すばらしいと思うよ。

いままでは辛いことが多かっただろうが、これからはハワイで、よい人たちに囲まれ、英語もおぼえ、幸せな人生を送るように神さまと約束しているのだとも思うよ（生まれる前に神さまや君自体ともね）。

ともかくいろんなことが人生にはある。

何があっても、たのしく感謝して幸せだと思って生きてほしいのだ。

僕はもうすぐ79歳だが、すさまじい人生を送ってきた。それらから知ったことを、君にゆっくり話したいと思うのだが、いまのところ口が痛くて話せない。ずっと思っていたんだが、話せなかったんだ。

今度、君に会うときに元気になって話せるようになっていたら、一番言いたいこと、教えたいことがあるのが、純平にだよ。

ハワイまでは近い。日本人も日系人も多くいる。

僕も、何十回も行ったが、本当によいところだ。住むにはベストだ。

ジェナさんや士門さんもよい人だ。

純平君は幸せだよ。

それから、何か変わったことをしたくなったら、自分の良心に聞いてほしい。

良心が「よいよ」と言うことは、どんどんやればよい。

しかし、良心が「ちょっとやめよう」と言うことは、やはりやめようね。

僕（おじいちゃん）は、純平がかわいい。僕自体が病気になって5年も、つらい思いをしているから、より君のことがかわいい。と言っても、これもえらんできた道のようだ。

こんなことは、若いあいだはなかなかわからないが、何があっても希望をもって、前向きにプラス発想して生きてください。

正月一日にいらっしゃい。何もしてやれないが、君と握手でもしたい。

純平君のこれからに期待しているよ。よろしく。（手紙の転載ここまで）

自分の指導神とつながって思いを実現してもらう方法

もう一つ私にはよい特性がありそうです。ものごとを簡単に誰にでもわかり、できるようにすることです。コンサルタントとして成功したのは、そのせいだと思います。

前記、天野さんの手法も、坂本さんの手法も、かなり難しくて訓練が必要なようです。

今年のお正月に相川圭子さんが『心がとけると愛になる』(２０１１年12月、学研パブリッシング刊)という彼女の新著を、お手紙とともに送ってくれました。

よいことが書いてあります。「なるほど」と思いながら読みました。

ただ、ヒマラヤの秘密の教えをマスターするのは、なかなか簡単ではないと思いました。「いままでの自分が溶けて愛そのものとなる」秘法をマスターす

ヒマラヤの秘密の教え　相川圭子さん(ヨグマタ師)は、ヒマラヤで厳しい修行を経て真のサマディ(悟り)に達し、ヒマラヤの聖者の家族として認められ、口伝によってのみ伝えられる秘教のすべてを修めたという。門外不出とされていた教えだが、師事したハリババ師の「人々を苦しみから救いなさい」という言葉に従い、日本、アメリカ、ロシアなどで普及に努めている。

るのは、よいことですが、大変そうです。

また、『あなたの中に、神さまが宿っています。』（こだまゆうこ著、２０１０年３月、マガジンハウス刊）は、私の推薦した本ですが、この本に書かれていることは本当だと思います。

その神さま、いわゆる自分の指導神とつながる方法を、今年になって私なりに見つけだしたのです。船井流ですからいたって簡単です。

それは、われわれの本質である霊魂に頼めばよいだけのことなのです。

少なくとも霊魂は、われわれを主導してくれると思える個々の指導神とは、充分つながれるはずです。

しかも肉体人間のわれわれは自分の霊魂＝自分の本質ですから、この霊魂には正しいことなら何を頼んでもいいはずです。正しくないことなら聞いてくれないはずなので、本当は何を頼んでもいいのです。

次のように頼めばよいのです。

「私の本質である私の霊魂よ、お願いいたします。

私のなかの、サムシング・グレートの分身でもあり、私を主導してくれるはずの私の指導神にどうぞ、つながってください。

そして聞いてみてください。

私の知りたいことを、そして私の正しい生き方を」と。

これを、1月3日から私は朝起きたとき、夜睡《ね》る前の2回はきちっと始めました。

そして、それ以外のときでも、必要に応じて行っています。

答は自分の霊魂が、自分の肉体や心に示してくれます。してもいいか悪いかは良心として身体がわかっています。間違いません。

なおそれでは、飽き足りない人は坂本政道さんや天野聖子さん、そして相川圭子さんなどのところへ行き、具体的に教えを乞えばいいと思います。

どうでしょうか？　船井流の自分の指導神に接触し、教えてもらって正しく生きる方法はよい方法でしょう。

これを、きょうからぜひお始めください。あなたの人生が変わるでしょう。
よろしく。

第4章 万病に効果のあるさまざまな療法がわかった

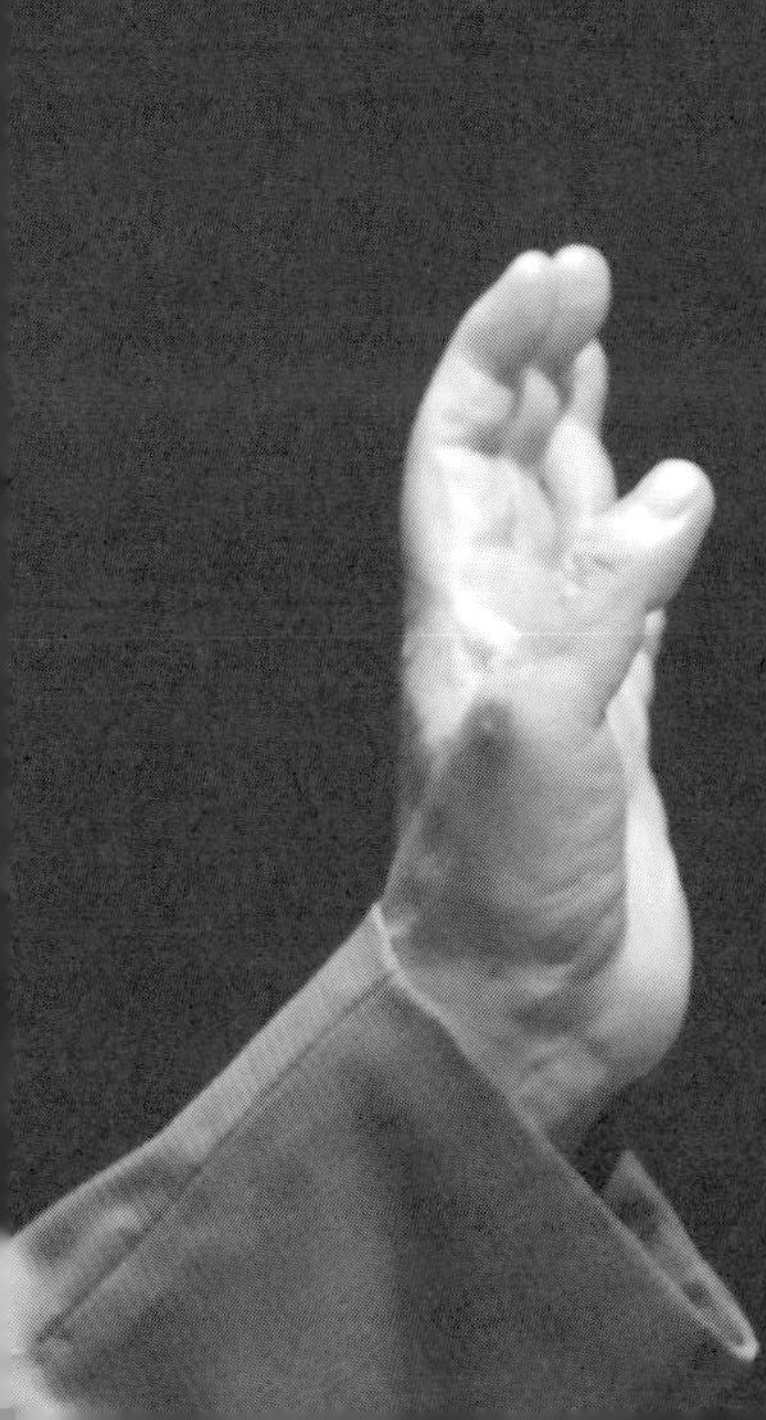

本章では、いまの高齢化に伴ってもっとも問題視されている医療費に対して私なりの経験からメスを入れてみた。私は世の中で起こることは「すべて必然・必要だ」と思っている。しかも、「それをベストにできそうに思える」というのが正しい真理のようだと解釈している。

ここで少し私ごとを記すと、どういうわけかわからないのだが、私は5年有余も体調を崩して苦しんできた。何回か死ぬ直前までいった。おかげで、自分の身体をモルモット代わりにしていろいろな難病の治療法を知ったようである。

それらは厚生労働省や医師などからは見向きもされないことがほとんどだが、そのどれもが捨てたものではないと思っている。本章では、紙面の都合上、そのなかの1つだけしか取りあげられないが、本書に書いたことはすべて真実であり、今年5月に入ってから私は毎朝20～30グラムぐらいの2～3％タングステン酸ソーダ水を空腹時に飲みはじめた。

いまのところ、副作用はまったくない。効果としては、糖尿病の血液検査上の数値が改善したくらいしかまだわからないが、塗布と湿布で水虫が約2カ月でほぼ完治したことを含め、うれしいことが多い。このように1つひとつを組織的に実験していけば、たぶん病気に対する出費は大幅に抑えられると思う。できれば加瀬薫さんのタングステンについての書籍を再版し、有意の人は読んで検討してほしいと思っている。

つらく痛い病気を経験して病気への対応がわかった

今年（２０１２）１月に、船井メールクラブが発足しました。会員制の有料メルマガシステムによる真実の勉強をするクラブです。きょうまで毎週木曜日に真実と思える大事な事実を３カ月間余り、大胆に公表してきました。

このクラブの性格上、いまのところ１回の発信文は１万字～２万字くらいが常識になってきましたが、発信後１カ月くらいで、「船井メールクラブ」の性格上、それらの文章は消去しています。

そのなかで、私の気づいたことを二つ三つ述べたいと思います。

現在のところ、クラブ員数はまだ少数ですが、１０００人は突破しました。それとともに、多くの反応が寄せられるようになりました。

本当に勉強好きな、それも真実に興味と関心のある人々の読んでくださるメ

ルマガになりつつあるようです。

この会員数が1500人を突破し、2000人くらいに増えますと、週に1回の発信を2回に増やそうかと思っています。世の中に公表されていない大事な真実は多くあると思えるからです。それらを知っている人も多くいるもようだからです。

それに、世の中の今後のリーダー的立場に立つ人が多く読んでくださっているようで、いまのところ会員の男女比は男性68%、女性32%くらいです。思いのほか、女性の多いのを喜んでおり、これから女性向けの発信文、女性の発信者も増やそうと思っております。


このメルマガで私は、毎月、第一木曜日に発信してきました。

1月5日には「大麻のこと」を、2月2日には「税金の不要な国づくりができること」を、そして3月1日には「自分の中にいるサムシング・グレートの分身と言ってよい自分の指導神と一体化して、正しく生きる方法を知る簡単な秘法」を述べてきました。

それらは思いのほか評判がよく、世論になりそうにも思えましたので、３月末日から書店に並んでいます私の最近著『船井幸雄の大遺言』（青萠堂刊、正式の発刊日は２０１２年４月４日）の第１章に、次のような章題と目次でそれらの大要を載せました。

もちろん、「船井メールクラブ」で発信したものを、そのままでは掲載できないので、かなり文章を変えていますが、よろしければ同書もぜひご一読ください。

［第1章付記］

私がどうして『船井幸雄の大遺言』というような題名の本を出したかは、私のホームページ『船井幸雄ドットコム』の今年3月12日号（http：//www.funaiyukio.com/funa_ima/index.asp?dno=201203002）と3月26日号（http：//www.funaiyukio.com/funa_ima/index.asp?dno=201203004）に書いていますし、同書内にも、もちろん書いておりますので、ご理解ください。

ところで、今月（4月）の発信文は、この発信文の題名のような病気退治の方法を記そうと思います。

すでに私の著書やホームページ（最近では3月19日の発信文〔http：//www.funaiyukio.com/funa_ima/index.asp?dno=201203003〕）にもときどきは書いていますが、私は2007年3月11日までは、カゼひとつひかないくらいの、もちろん病気らしい病気になったこともない超健康体の人間でした。

それまでは点滴もしたことがないし、病気入院もしたことがなかった健康な

男です。

ところが、２００７年３月12日に佐賀市内のホテルニューオータニで講演中に咳が出て止まらなくなり、講演ができなくなったのを機に、これまで次つぎに左上半身にのみ、医師から20くらいの病名をもらうほどの多くの病気に襲われました。

一番ひどいのは、心臓の左大動脈弁狭窄症や左下アゴ骨骨髄炎、そして左顔面の三叉神経痛などですが、そのほか左耳中耳炎に罹《かか》ったり、心臓、肺、気管、気管支から口内、鼻、耳、目まで、つらい痛い思いをしてきました。手術も数回は受けました。

なおいまも、左の舌咽神経痛、オーラル・ジスキネジア、気管と気管支異常による咳、パーキンソン病的症状、左下アゴ骨の骨髄炎などでかなり苦しんでおります。

ところが最近、ようやく病因がわかってきました。そのほか、いろいろなことがわかってきたのです。

私のような難病になったことがない99％以上の医師は、病名と治療法のわか

三叉神経痛　三叉神経が圧迫されて顔面に鋭い痛みが走る症状。
舌咽神経痛　噛んだり飲んだりすると、舌と喉の神経が痛む症状。
オーラル・ジスキネジア　口唇ジスキネジアとも。口、舌などが意思に反して動くようになる症状。おもに、加齢や薬剤によって発症する。
パーキンソン病的症状　安静時のふるえ、筋肉が固くなる、動作困難など。

っている一般病でない病気の治療についてはほとんど無力である……ということもわかりました。また、どうやら病気の原因はすべて自分にあると言えそうなので、しっかり経験し、勉強して自ら病気を治療するしか仕方がないようだ……ということもわかりました。

この間、多くの名医を知りました。

三叉神経痛のとき、テグレトールという薬のせいで認知症になりかけ、動けず、頭もやられ、「もうダメだ」と思ったときに、わずか2、3回、1回20分間くらいの治療法で完治させてくれたＳＨＩＭＡ量子医学研究所の島博基さん（ＵＲＬ：http://siqm.org/index.html　ＦＡＸ：06―６３７２―８７５６）という名医とも親しくなりましたし、日本一の義歯の先生といわれている日本歯科大学の小出馨教授にもお世話になりました。付き合った医師、歯科医師は何十人にもなります。

ともあれ、5年といっても最近の2年くらいは病気と治療法の猛勉強をやむをえず自分でしてきました。いまでは、私の専門の経営の次に知識のあるものは？　と聞かれたとき、難病の治療法をかなり知り体験したので、「病気への

量子医学　兵庫医科大学名誉教授の島博基さんが研究している医療技術。量子波といわれる赤外線領域のテラヘルツ波を用いることによって癌細胞の増殖を抑制する。

素晴らしい医療技術が出てきています。
官民あげて研究すれば、
医療費はいまの10分の1にできるでしょう。

対応だ」……と言えるくらいです。私は、いまは、寿命がある以上、たいていの病気はよくなる可能性が高いのではないかと思っています。

もちろん医師でありませんので他人さまにアドバイスなどはいたしませんが、自分の病気についてはそれなりに考えながら、ここ1、2年は過ごしてきました。

いまだ知られていないが、誰にでも効きそうな治療法

ここから、本題に入ります。

世の中には、医師はもとより、多くの一般人に知られていない病気の治療法がたくさんあるようです。

一昨年くらいから調べはじめたことですから、ここへ記すほかにも多くありそうですが、ある特定の人だけが知っている病気の治療法で、誰にでも効果のありそうなものが、かなりあるようです。

きょうは紙数（字数）の関係でそのなかの1つしか述べられませんが、あとの治療法は各自でお調べください。その気になれば、誰にでも調べられると思います。

ところで、私が現在実行中のものは、その旨、記しておきます。参考にしてください。

1．GOP法……五井野正先生の開発された方法で、欧米では有名な療法のもようです。五井野先生は月刊誌『ザ・フナイ』の常連執筆者で、多彩な能力をもった天才と言ってもいい人です。私の友人です。

GOPは「五井野プロシジャー」の略で、私は今年1月からこの療法を実践しています。まともに話せなかったのが、服用の2、3日後には1時間くらいの講演が可能になりました。卓効があったようです。

2．タングステン酸ソーダ法……この章では、この療法を中心に詳述します。湿布するのと、塗布と服用療法がありますが、いまのところ私はまだ調査中

GOP法　抗腫瘍効果があるとされる煎じ薬で、健康増進にも効果があるといわれる。マンネンタケ、トチバニンジン、カワラタケなどを6：3：1で煎じてつくる。その製法は特許をとっている。→http://www.j-tokkyo.com/2003/A61K/JP2003-171306.shtml

です。塗布や湿布に使用して卓効があるのは確認しましたが、もっとも肝心な服用までには至っておりません（船井注：5月から服用を始めました）。

3．MMS法……ジム・ハンブルさんが開発した療法で、これには彼の著作もあり、日本ではかなり有名です。

4．量子医学……兵庫医大名誉教授の島博基先生の開発された療法で、私は2009年9月に三叉神経痛などを島先生の治療で治してもらいました。テラヘルツパワーなどが有用に働くようで、私はテラヘルツパワー・シールの活用をいまも実践しています。

5．富元酵素療法……神戸の別所美則さんに教えてもらいました。毎日、少量ですが実践して服用しています。これもよく効くようです。

6．光線の活用法……私の友人のエクボ㈱の清水美裕さんが開発した波長

MMS法　ミラクル（マスター）・ミネラル・サプリメントの略。エイズ、各型の肝炎、マラリア、ヘルペス、結核、ほとんどのがんに効果があるとされる。http://mmsjapan.sharepoint.com/Pages/default.aspx
富元酵素　1952年から愛飲されてきた健康飲料。酵素科学研究所で発売。
光線　近赤外線でさまざまな疾患の原因となる自律神経の失調を調整する。

各種療法の問い合わせ先

富元酵素療法……㈲酵素科学研究所
　ＨＰ：http://www.fugenkouso.co.jp/index.html
　ＴＥＬ：0797－32－5273

光線の活用法……エクボ㈱
　ＨＰ：http://www.ekbo.co.jp/
　ＦＡＸ：046－243－5613

太古の水法……㈲フルーツティー
　ＨＰ：http://www.fruits-tea.co.jp/index.html
　ＦＡＸ：03－3401－6693

熊笹エキス法……㈱鳳凰堂
　ＨＰ：http://www.hououdou.jp/
　ＴＥＬ：03－3784－6677
　E-mail：info@hououdou.jp

精氣源法……㈱精氣源臨床研究所
　ＨＰ：http://www.seikigen.com/
　ＴＥＬ：092－513－7030
　E-mail：info@seikigen.com

カリカ法……㈱済度
　ＨＰ：http://www.saido-ps501.co.jp/
　ＴＥＬ：092－771－6676
　ＦＡＸ：092－771－6678

ＮＳ菌活用法……㈱本物研究所
　ＨＰ：http://www.honmono-ken.com/productlist/detail/?id=480
　ＴＥＬ：03－5769－0271
　ＦＡＸ：03－5769－0051

マイナス水素イオン法……㈱本物研究所
　ＨＰ：http://www.honmono-ken.com/productlist/detail/?id=193
　ＴＥＬ：03－5769－0271
　ＦＡＸ：03－5769－0051

660ナノメートルの光線を当てる療法です。効果はあるようです。ただ初期投資金が多少かかります。私は毎日、睡眠前にこの光線に当たっています。

7．太古の水法……森美智代さんに教えてもらったものですが、不思議な人といってよい(有)フルーツティーの木内鶴彦さん開発の水を活用する方法です。この水も私は毎日我流で活用しています。

8．タマゴ・ダイエット法……京都在住の岡崎公彦医師の著作により、世の中に広まったがんや糖尿病によいといわれている方法です。ちなみに岡崎さんの著書『がんの特効薬は発見済みだ！』(2011年3月、たま出版刊)は、私のブログで多くの人が知ったようです。

9．その他……少し費用はかかりますが、卓効があると思えるのは、以下のようなものです。私はそれぞれを折々、愛用しております。

① 熊笹エキス法……㈱鳳凰堂の土田裕三さんに聞いてください。トリシン

太古の水　生命が誕生した当時の地球の水をイメージして開発された水。
タマゴ・ダイエット法　皮下脂肪、血管沈着物など余剰物を分解するダイエット法。純粋なたんぱく質を食べると消化されて肝臓でたんぱく質に再合成されるが、その際に余剰物が分解される。固ゆでタマゴを1日10〜20個食べる。
熊笹エキス　細菌、真菌、ウイルスなどによる症状に効果があるとされる。

活用法です。

② 精氣源法……㈱精氣源臨床研究所の豊福政子さんに聞いてください。
③ カリカ法……㈱済度の今尾充子さんに聞いてください。
④ ＮＳ菌活用法……㈱本物研究所に聞いてください。
⑤ マイナス水素イオン法……㈱本物研究所に聞いてください。

まだまだあると思いますが、このうち1～8までは、ほとんど費用が不要です。もう少し本格的に官民をあげて研究しますと、医療費はいまの10分の1以下になるように思います。

このほか、いま話題の「一日一食法」（南雲吉則博士の『「空腹」が人を健康にする』〔2012年1月、サンマーク出版刊〕で有名になった方法）も面白そうです。

以上のなかで、私がもっとも興味をもっているのは2のタングステン酸ソーダ法で、それについてだけ本章では説明します。多くの療法中の一例だと思っ

精氣源　ローヤルゼリーとクコの実が主成分。自然治癒力を引きだす。
カリカ　パパイアの未成熟な果実から果汁を抽出して発酵させた健康食品。
NS菌　遊牧民の保存食から採取した乳酸菌を培養してつくったサプリメント。
マイナス水素イオン　生活習慣病の原因となる活性酸素を除去するといわれる。細胞が突然変異を起こして癌化するのを防ぐ効果もあるという。

てお読みください。

他の療法は、読者が個々にお調べください（連絡先は131ページなどを参照）。

ともかく、医師でも薬剤師でもない私は、調べても公表できにくいし、アドバイスも難しいので、字数の関係もあり一つの手法の紹介だけでお許しください。しかし、タングステン酸ソーダ法につきましては、言い、書ける範囲内でできるだけ公表いたします。

2～3％タングステン酸ソーダ法との不思議な出合い

昨年（2011年）来、オーラル・ジスキネジア（舌が自動的に動き回る病気。治療法のない難病で、舌が歯の上に乗りますと、話せない、喰べにくい、睡眠中は舌などを噛みますので、眠りにくくなり、口内が傷だらけになったりで、神経症になりかねない病気です）で悩んでいました。

タングステン酸ソーダ　タングステン酸ナトリウムとも。タングステンの鉱石からタングステンを精製する際の中間生成物。化学式→$Na_2WO_4 \cdot 2H_2O$。水溶液からは6℃以下では十水和物（$Na_2WO_4 \cdot 10H_2O$）、6℃以上では二水和物　（$Na_2WO_4 \cdot 2H_2O$）が析出。

それを知った知人の医師が、「これを口内に噴霧してごらんなさい。楽になった人がいますよ」と、3%タングステン酸ソーダ水の実物の液を200ccくらい送ってくれました。やってみると、効くような気もします。

その医師が、「ほんの少しずつ、1日に2、3回の噴霧でやめて、絶対に服用しないように」と言ってきました。とても慎重なアドバイスです。

そのようなことがあり、慎重に調べはじめました。

そのうちに会社の秘書がインターネットか何かで、これについての「著書がありますよ」と教えてくれました。

ところがその著作が絶版になっており、入手が困難だとほぼあきらめていましたところ、不思議なことに船井本社の秘書室のある人が1冊入手してきてくれました。

その著作は、加瀬薫著『胃かいようが治るタングステン酸ソーダ』という題名の本で、1991年6月に「朝日ソノラマ」から発刊されたものでした。

私はまず、著者の経歴を読み、興味を惹《ひ》かれたのです。

以下のような経歴が著書の最後のほうに書かれていました。京都大学卒であるということと、日本タングステン㈱の常務までおやりになった……というので、これは読む価値ありと判断したのです。

と言いますのも、大学で理科系の学部を出た私のような人間は、タングステンと聞くだけで、身体にとって危険で有害だと考えるような知識が植えつけられているからです。

【『胃かいようが治るタングステン酸ソーダ』の著者略歴】

加瀬　薫（かせ　かおる）

１９１４（大正３）年、東京・神田に生まれる。

東京府立五中（現小石川高校）から成蹊高等学校を経て、京都帝国大学理学部化学科に入学。卒業後、京大時代の恩師であった西堀栄三郎氏にスカウトされて昭和12年東芝に入社、研究所に配属され材料研究を担当した。

昭和40年、東芝材料研究部長から東芝関連会社、日本タングステン㈱常務取締役に就任、現在は㈱オリオン顧問と新材料研究会副会長

まったく身体に無害で万病に効きそうな健康法

この本を読むと、びっくりするようなことが山ほど書かれていました。しかし、どう考えても真実のようなのです。私なりに多くの資料も集めました。

それで、より加瀬さんの著作の内容は事実だと思えるようになったのです。

そこで、今年１月16日の私のホームページ（http://www.funaiyukio.com/funa_ima/index.asp?dno=201201004）で、「タングステン酸ソーダ健康法について詳しい方がいらっしゃれば教えてほしいのです」とお願いし、「オーラル・ジスキネジアで困っている」と書いたのです。

その結果、多くの大学関係者や、加瀬さんに関係のあったと思える方、あるいはタングステン粉末を精錬・製造している会社の方々から、学術論文や体験談、そして加瀬さんの本のコピーやタングステン粉末の実物まで送っていただきました。ありがたいことです。あらためて、お礼を申します。

暴露防止措置
　管理濃度：
　許容濃度　日本産業衛生学会（　　　年度版）：
　　　　　　ＡＣＧＩＨ　　　（　　　年度版）：
　設備対策：局所排気装置の設置又は設備の密閉化が望ましい。
　保護具　呼吸保護具：防塵マスク　　保護眼鏡　：普通眼鏡型
　　　　　保護手袋　：ゴム手袋　　　保護衣　　：長袖の作業衣、保護靴

物理／化学的性質
　外観等：白色結晶性の粉末
　沸　点：　　　℃　　蒸気圧：　　　Pa(℃)　　揮発性：
　融　点：　６９８℃　　比重又は嵩比重：３．２５（℃）　　初留点：　　℃
　溶解度　水：90.8 %（20℃）
　その他：水溶液のｐＨ＝８～９　　乾燥空気中で風化、１００℃で無水物となる。

危険性情報
　引火点　　：　　℃
　可燃性　　：
　自然発火性：
　自己反応性：
　安定性・反応性：

有害性情報
　皮膚腐食性：なし
　刺激性　　：なし
　急性毒性　：orl-rat　LD_{50} 1190mg/kg [1)]
　がん原性　：
　変異原性　：

環境影響情報
　分解性、蓄積性、魚毒性：知見なし。

廃棄上の注意
　水溶液は弱いアルカリ性を示すため、酸で中和し、排水基準の範囲内で排水する。
　又は、認可を受けた産業廃棄物処理業者に処理を委託する。

輸送上の注意
　運搬に関しては容器に漏れがないことを確認し、転倒、落下、損傷がないように積込み、荷崩れの防止を確実に行う。

適用法令
　該当法令はない。

その他
　引用文献
　　1)　産業中毒便覧（医歯薬出版）

作成：平成7年2月10日
改訂：平成12年4月1日法律見直し

危険・有害性の評価は必ずしも十分ではないので、取扱いの際は十分注意してください。

製品安全データシート

製造者情報

会　　社　キシダ化学株式会社
住　　所　大阪市中央区本町橋１番２２号
担当部門　業　務　本　部
電話番号　(06) 6946-8062　FAX番号 (06) 6946-1701

整理番号　７３１８　　　　改訂；平成１２年１１月　９日

製品名（化学名、商品名等）　タングステン酸(Ⅵ)ナトリウム(2水和物)

物質の特定
単一製品・混合物の区別：単一製品
化　学　名　：タングステン酸ナトリウム(2水和物)
成分及び含有量　：９９％以上
化学式又は構造式　：$Na_2WO_4 \cdot 2H_2O$
官報公示整理番号　：化審法　１－７９４
：安衛法
ＣＡＳ No　：１０２１３－１０－２
国連番号及び国連分類　：該当しない

危険有害性の分類
分類の名称：分類基準に該当しない。
危険性　：
有害性　：
環境影響　：

応急措置
目に入った場合　：清浄な水で十分洗眼する。必要に応じて眼科医の診断を受ける。
皮膚に付着した場合：水と石鹸で洗浄する。
吸入した場合　：速やかにうがいを行い、必要に応じて医師の手当を受ける。
飲み込んだ場合　：速やかにうがいを行う。
多量に飲み込んだ場合、水を飲ませて吐かせてから、必要に応じて医師の手当を受ける。

火災時の措置
消火方法：一般消火。
消火剤　：水、二酸化炭素、泡沫消火剤、粉末消火剤。

漏出時の措置
空容器にできるだけ回収し、その後を水で洗い流す。

取扱い及び保管上の注意
取扱い：吸込んだり、眼及び皮膚との直接接触を避けるため、適切な保護具の着用が望ましい。
保　管：乾燥空気中で風化する。開封後の使用残は密封し冷暗所保管が望ましい。

私の友人の医師たちも興味をもち、ある友人は実物を取り寄せてくれました。まず、その実物の粉末とともに入っていた「製品安全データシート」を138～139ページに掲載しました。

この注意書きを読みますと、私の大学時代の知識とほとんど変わらない理解ぶりだとわかりますし、私に最初に教えてくれた医師が、服用は慎むように言ったこと、私がいまなお慎重で調査中である理由がおわかりいただけると思います。

一方、日本のある大学関係者から世界中のおもなタングステン酸ソーダ健康法の論文と言ってもよいほどの数百枚もの研究資料が届きました。その1枚だけを141ページに紹介します。

これらの英語の論文も、私なりに検討いたしました。

結論は、2～3％のタングステン酸ソーダ水は、服用しすぎない以上、まったくと言っていいほど無害で、万能の秘水といえるようだ、ということなので

Endocrine, vol. 19, no. 2, 177–184, November 2002 0969–711X/02/19:177–184/$20.00 © 2002 by Humana Press Inc.

Oral Tungstate Treatment Improves Only Transiently Alteration of Glucose Metabolism in a New Rat Model of Type 2 Diabetes

Vanna Fierabracci,[1] Vincenzo De Tata,[1] Alessandro Pocai,[1] Michela Novelli,[1] Albert Barberà,[2] and Pellegrino Masiello[1]

[1]*Dipartimento di Patologia Sperimentale, Biotecnologie Mediche, Infettivologia ed Epidemiologia, University of Pisa, Italy; and* [2]*Laboratory of Metabolic Disease, Rockefeller University, New York, NY*

It has been shown that tungstate is an effective hypoglycemic agent in several animal models of diabetes. In this study, we examined the effectiveness of oral tungstate treatment in a new experimental diabetic syndrome, induced by streptozotocin (STZ) and nicotinamide in adult rats, that shares several features with human type 2 diabetes. Sodium tungstate was administered in the drinking water (2 mg/mL) of control and diabetic rats for 15, 30, 60, and 90 d. Glucose metabolism was explored in vivo by intravenous glucose tolerance test. Insulin secretion and action were assessed in vitro in the isolated perfused pancreas and isolated adipocytes, respectively. Two weeks of tungstate treatment did not modify the moderate hyperglycemia of diabetic rats but reduced their intolerance to glucose, owing to an enhancement of postloading insulin secretion. However, this effect was transient, since it declined after 30 d and vanished after 60 and 90 d of tungstate administration, whereas a trend toward a reduction in basal hyperglycemia was observed on prolonged treatment. Oral tungstate was unable to modify glucose-stimulated insulin secretion in the isolated perfused pancreas, as well as muscle glycogen levels, hepatic glucose metabolism, and insulin-stimulated lipogenesis in isolated adipocytes. Nevertheless, the decreased insulin content of pancreatic islets of diabetic rats was partially restored on prolonged tungstate treatment. In conclusion, in the STZ-nicotinamide model of diabetes, tungstate was unable to permanently correct the alterations in glucose metabolism, despite some indirect evidence of a trophic effect on β-cells. The ineffectiveness of tungstate could be related to the absence, in this diabetic syndrome, of relevant metabolic alterations in the liver, which thus appear to constitute the major target of tungstate action.

Received July 16, 2002; Revised September 24, 2002; Accepted September 26, 2002.

Author to whom all correspondence and reprint requests should be addressed: Prof. Pellegrino Masiello, Dipartimento di Patologia Sperimentale, B.M.I.E., Università degli Studi di Pisa, Via Roma, 55 Scuola Medica, 56126 Pisa, Italy. E-mail: rinomasiello@hotmail.com

Key Words: Experimental diabetes; tungstate; glucose tolerance test; insulin secretion; insulin resistance; isolated adipocytes.

Introduction

It has been reported that a 2-wk oral tungstate treatment reduced the severe hyperglycemia of streptozotocin (STZ)-diabetic rats *(1)*, and normalized as well the moderate hyperglycemia of neonatally injected STZ (nSTZ) rats, a model of type 2 diabetes *(2)*. Furthermore, glucose metabolism improved in Zucker diabetic fatty rats *(3)* and in STZ-diabetic rats *(4)* on a prolonged tungstate treatment (for 2 and 8 mo, respectively). In all these cases, the effect of tungstate appeared mainly mediated by a restoration of hepatic glucose metabolism, more or less markedly impaired in such diabetic animals *(1–4)*. On the basis of these results, it was suggested that tungstate could be helpful in the treatment of both type 1 and 2 diabetes.

In the present study, we determined the effects of oral tungstate treatment in a novel experimental model of type 2 diabetes, obtained in adult rats by the combined administration of STZ and a partial protective dose of nicotinamide (NA). This model is characterized by a 40% reduction in β-cell mass *(5)*, which results in moderate and stable hyperglycemia, glucose intolerance, altered but still present ability of β-cells to respond to glucose, and preserved responsiveness to tolbutamide *(6)*, thus sharing a number of similarities with human type 2 diabetes. Actually, the insulin responsiveness to glucose and sulfonylureas, which is not present in other established models of type 2 diabetes such as nSTZ and GK rats *(7–9)*, makes this novel diabetic syndrome particularly suitable for pharmacologic studies of new potential antidiabetic compounds. Indeed, STZ-NA-diabetic rats are being increasingly utilized in pharmacologic research (e.g., *10,11*).

The insulinotropic effects of tungstate treatments of different duration were explored in vivo by intravenous glucose tolerance tests (IVGTTs) and in vitro by using isolated perfused pancreas preparations when the in vivo results were indicative of an enhancement in insulin secretory function. Furthermore, taking into account that tungstate might exert

口腔タングステン療法が、２型糖尿病の新しいラットモデルにおいて、一時的に糖代謝を改善――イタリアのピサ大学の感染症疫学部、医学生化学部、実験病理学部と、米ニューヨークのロックフェラー大学の代謝性疾患研究所の共同研究。

す。

私なりに、このように結論を出したのです。

以下は、東京タングステン㈱（現在の社名はアライドマテリアル㈱で、住友電工の関連会社）に長年勤めておられた、いま79歳の方から、お送りいただいた加瀬さんの著作の要所のみのコピーです。この方からは実物の粉末もお送りいただきました。

この加瀬さんの本のこのコピーはムダがないので、まずはそのまま紹介いたします。

はじめに

タングステンといえば、電球のフィラメントやボールペンのボール部分に使われる材料としてよく知られている。化学的には、重金属中、最も重くて

硬い物質である。その性質から、最近まで戦車や大砲の材料としても欠くことのできないものだった。

こんな〝物騒〟なものがなぜ飲めるのか。多くの人は疑問に思われることだろう。

実際、がんや白内障が治るなどと聞いて信じる人はまずいない。十人が十人ともけげんな顔をする。私はこれまで何百回、何千回となくこの顔に出会ってきた。

私とタングステンとの付き合いはすでに五十余年になるが、タングステン酸ソーダ（＝ナトリウム、鉱石から製錬する過程でできる見た目には塩のような化合物。本書では、ナトリウムという言葉が長いのでタングステン酸ソーダの名称で統一）の水溶液を人々に勧めるようになってからでも15年になる。

もちろん、自分の体で試してみてのことである。なぜタングステン酸ソーダの水溶液を自ら飲んでみたかについては本書に詳しく書いてあるが、とも

白内障　水晶体が白っぽく、もしくは黄色っぽく濁って視野が損なわれる目の病気。おもに45歳以上で発症し、加齢とともに進行する。

かく、わが目の白内障は内服と点眼で治ってしまった。この薬効は疑いのない事実で、この時点でタングステン酸ソーダの効能を確信した。以後、多くの人たちに役立ててもらおうと、あれやこれや努力してきた。

一時は「医薬品」としての道が開けないかと真剣に考えた。何人かの医学、製薬関係者にも会い、「薬」として研究開発してもらえないだろうかとお願いしてきた。現在でも心底そう望んでいる。しかし、残念ながら、私の願いは今もって実現していない。

理由は、原材料の価格的な問題、動物実験におけるデータが関係者を納得させるに至らなかったこと、さらに、重ねて研究をお願いするにはあまりにも資金的に負担が大きいことなどである。

しかし、タングステン酸ソーダが病気を回復させる力を持っていることは確かなことである。それをすておくのはあまりにも勿体ない。そこで、私の出番となったわけである。

本書にも書いてあるが、研究機関を通してタングステン酸ソーダは、重金

医薬品　開発にあたってはさまざまな物理化学的性質を明らかにして製法を最適化し、毒性や生体（細胞もしくは臓器レベル）安全性の検証を行ってから臨床試験が行われる。アメリカのデータでは、新薬が市場に出るまで100億ドル（約80億円）もの費用がかかるとされる。したがって、既存の廉価な物質を医薬品として市場に出しても、とても採算がとれない仕組みになっている。

属中、毒性が最も低く、人体に無害であるということを確認したうえで、多くの人に無料配布（薬事法に触れないため）、タングステン酸ソーダの存在を広く知ってもらうことに努めている次第である。これはまた、私がその趣旨に共感して運動に参加している「小さな親切運動」の実践とも思っている。

しかしながら、いくら私が頑張っても、しょせん、個人レベルでの普及にすぎないのが現実である。何度か雑誌に発表する機会を得たが、それとて「知る人ぞ知る」域を出ないまま今日に至っていた。それが、このたび単行本として出版されることになり、ようやく世にタングステンをアピールすることができることになった。心からうれしく思っている。

急速に進む人口の高齢化や、複雑な社会が生むストレスなど、健康を維持するのが難しい時代である。それを反映して、健康に対する関心はかつて例を見ないほど高まっている。

さまざまな健康情報が氾濫し、それに振り回され「混迷の世界」に入り込んでいる人も少なくない。そんな中にあってタングステンは、自信を持って

お勧めできる確かな健康法のひとつであると確信している。
どうかひとりでも多くの方がこの本を読んで、タングステン酸ソーダの「知られざる力」を体験していただきたい。

平成3年5月

著者

目次

タングステン酸ソーダがなぜ病気を治すのか

「癌というのはいわば、樹齢を重ねた松の木にできる『瘤《こぶ》』のようなもので、人体の一部に細胞の異常増殖が起こる病的現象であって、野生的な肉腫である。生やさしい機能的変化とは違う。それに立ち向かうにしては有機化合物質は余りにデリケートでありすぎはしないだろうか？」

こんな疑問を投げかけているのは、波多野賢輔氏である。その著書『癌は私が治す』のなかで氏は、がんを克服する薬の開発は、現代の科学者が目を向けている有機化合物ではなく、無機化合物にあるはずだと主張。なかでも無機化合物・タングステン酸ソーダこそ、多くの人が待ち望む「制がん剤」にもっとも近いものであると力説している。その根拠を「電子浸透圧にあ

る」とする氏の理論は次のようなものだ。同書の中から引用してみた。

癌を、蛋白《たんぱく》コロイド（コロイド＝分子よりは大きいが普通の顕微鏡では見えないほど微細な粒子が物質内に分散している状態＝著者注）の変異としてとらえるとき、「制癌剤」としての第一条件は、当然、蛋白コロイドに対して反応性を持つものでなければならない。

もちろん、その反応は強ければ強いほどいい。この化学的推論からいっても、「制癌剤」研究の主流は有機化合物質ではなく、無機物質に向けられるべきである。なぜならば、無機物質には有機合成物質に望めない、水溶液における強い電離イオン性とそれに基づくそれぞれの電子浸透圧の作用を持っているからである。

タンニン酸の水溶液を卵白のコロイド――アルブミンに加えると、アルブミンは凝固を起こす。有機物でこのような性質を持っているのは、タンン

アルブミン　卵白の65％を占めるたんぱく質の一種。卵白だけでなく、脊椎動物の血漿、乳汁に含まれている。

ニンだけである。タンニンだけの特異反応で、ほかの有機化合物にはこのような作用はない。無機物は作用の強弱はあるが、タンニンと同様に蛋白コロイドを凝固させる。コロイドの親水性が破られ、脱水され、ゲル化する。

無機物による蛋白コロイドの凝固の一例は、ナメクジに食塩をふりかける実験である。（中略）喉頭癌も胃癌も直腸癌もナメクジ同様、化学的に言えば、蛋白コロイドである以上、脱水され、ゲル化すればナメクジが死ぬように、病巣の活動が停止する。

この蛋白コロイドの凝固実験において、多くの場合、見落とされ、この実験の示す重要性を見逃してしまうのが、電解質の電子浸透圧である。

電子浸透圧を説明するものとして、次のような実験を行うことができる。塩化コバルトの溶液に寒天を加えて加熱し、溶かしてなるべく径の太い無色透明な試験管のなかにいっぱい流し込む。しばらく放置すると、試験管のなかは青色の羊羹《ようかん》状に固まる。これを水平な卓上に置いて、アンモニ

ゲル化　液体からゼリー状に変化すること。

ア水の入った瓶の栓をとって、試験管の口許に近付けるのである。すると、たちまち試験管の口から先端に向かって暗赤色の変色が走るのが見られる。この現象は、試験管の開放口からアンモニア瓦斯《ガス》が中の塩化コバルト寒天に吸着され、吸着されたアンモニア瓦斯の陰イオンが電子浸透圧によって試験管内の親水コロイド全体に拡散するためで、もし浸透圧がなかったら、なかの塩化コバルトの変色は口許だけでとまり、試験管の奥部へは進行しない。

珪酸《けいさん》ソーダ（水硝子）を等量の水で薄めたものを無色透明なコップに入れ、無機化合物の小結晶をコップの底に落とす。青色の硫酸銅、赤色の硫酸クロム、緑色の塩化ニッケル……それぞれの結晶の色がコップの底からたちのぼってくる。それがちょうど植物が芽を吹き、青、赤、緑の枝を伸ばすように見える。珪酸ソーダのコロイド溶液の中を、金属イオンが電子浸透圧の作用で屈折しながら移動していくのであるが、金属イオンとコロイドとの間に凝固が起こるから、色はコップいっぱいに広がらず、軌跡だ

けがそのように見えるのである。これをミネラル・ガーデンの実験と呼んでいる。

これらの実験で懸念がつかめると思うが、薬液を、癌など、人体の細胞の病変部に接触させると、相手がコロイドであるかぎり、無機物の電子浸透圧を利用して、薬液を病変部の細胞内に送り込める。病変部の親水性コロイドを脱水凝固させることによって、細胞の異常増殖作用を枯死させ、治療目的を達することができる――というのが、無機化合物を「制癌剤」として推奨する薬理学的根拠である。むろん、そのためには薬剤は細胞の外壁を突き破るだけの強い作用を持っていなければならない。

私は、カルカッタ大学医学部教授によって報告されたタングステン酸ソーダはそれだけの強い電子浸透圧を持っていると思う。私はこの無機物質の経口服用によって、十数人もの胃癌患者が全治したという『ケミカル・アブストラクト』の報告文の記載を疑うことはできない。細胞の外壁を突

き破る……といっても、ラジウム照射のような破壊力を借りる必要は全くない。動物の内臓でいちばん強靭とされ、氷嚢に使われる牛の膀胱を電解質が楽々と透過するのを見れば、このことがうなずけよう。それが半透膜であり、電子浸透圧というものである。

このタングステン酸ソーダのいちばんいいところは、人体に全く無害で、何らの副作用もないという点である。いくら効果があるからといって、人体に危険な副作用を及ぼすようなものであっては困るが、この薬は、従来の『制癌剤』に見られる副作用の泣き所を持たない。

この薬の報告者は、強力な酸化力に注目して「制癌剤」への利用を思いついたのであるが、私はそれ以上にこの薬の持つ電子浸透圧を重視する。というのは、私がこの薬の発掘者として、また追試者として、不則不離に今日に至るまで、第二、第三の薬効の事例が次々と現れてきて、それらを説明するには電子浸透圧の薬理論によらなければ説明がつかないからであ

ラジウム照射　がん細胞を消滅させるために行われる。皮膚には表在照射、臓器などについてはラジウム針による組織内照射が行われる。

る。

（中略）

この薬の「制癌剤」としての第二の利点は、水に溶かしていつでも簡単に飲むことができることである。このことは、薬の無害性と相まって「制癌剤」としてはかり知れないメリットを持つものといわなければならない。なぜならば、この薬を常用服用することによって、癌年齢層といわれる人々の癌発生を予防することができる。少なくとも、この薬が直接に接触し、浸透することができる部位——消化器系統の癌を、究極において制圧できる可能性が見出せるからである。

薬の効果は、それが病変部に触れることから始まる。したがって消化器系統には、直接に作用して非常に有効であるが、他の部位では間接的効果しか望めない。ただ、病変部が上部気管支や咽喉である場合は、うがいによるか呼吸器で薬の水溶液の飛沫を吸入するかのいずれかの方法によって、病変部に薬を送り込むことが可能なわけだ。病変節の先端にちょっとでも

癌年齢層　一般的にがんの発症は60歳を過ぎてから増加するが、乳がんは30歳代後半から、消化器系のがんは40歳以上で増える傾向がある。

薬が触れれば、電子浸透圧の力で、病巣全体に薬をいきわたらせることができるから、治療効果を上げられるはずである。

病巣だけに作用して、他の部位には作用しないという薬の選択的効果については、化学的に極めて明快な説明が与えられる。電子構造理論を導入した近代科学では、すべての物質の反応性を電子的飽和、不飽和度によって考え、電子的不飽和度の高い物質ほど反応性が強いとする。

病巣――特に細胞の異常増殖を伴う癌症状は、当然、電子的に不安定であり、不飽和状態であり、電子要求度が強い。したがって薬に対する反応性が強い。つまり、薬の効果が、その部位にそれだけ強く表れるわけである。

タングステン酸ソーダが水溶液においてイオン解離するタングステン酸基の持つ陰電子は、癌細胞の電子要求度を満たすに十分であり、要求を満たされた癌細胞は活性を失って死滅するのである。

波多野氏によれば、歯槽膿漏が治ったのは、電子浸透圧が血と膿《うみ》のコロイドを瞬間的に凝固させたためという。また、波多野氏は、老人性の眼瞼筋《がんけんきん》の弛緩によるしょぼ目もタングステン酸ソーダ水溶液の点眼で治るとしているが、それの根拠として「眼球を左右から釣っている眼瞼筋のコロイドが収《しゅう》斂《れん》して、眼球を正しい位置に戻すため」と説明している。

私もこの波多野氏の説には共感を覚えている。現在の制がん剤の多くは複雑な有機化合物で、副作用が懸念されるが、タングステン酸ソーダはきわめて簡単な無機質で食塩の一種である。私のこれまでの体験からいっても、人体に無害で副作用もないと信じている。

モリブデンにも「抗がん作用」が

タングステンのほかにも、モリブデン（タングステンとよく似た性質を持つ重金属）やレニウムなどの重金属についても、タングステンと同様の効果

モリブデン　尿酸の生成、造血、銅の排泄などに関わる人体の必須元素。
レニウム　1925年に地球の自然界で最後に発見された元素。実際には日本の小川正孝氏が1908年に発見していたとされる。もっとも硬い金属。

があるらしいことが外国文献に記載されており、今後、健康食品、化粧品、歯磨き剤などの医薬部外品や医薬品への添加など、新しい用途の開拓も可能だと考えている。

特に、タングステンと非常によく似た性質のモリブデンは、動物にとって必要不可欠な微量元素。生体内で重要な働きをしている「キサンチン酸ソーダ酸化酵素」の構成成分で、不足すると成長障害を起こす。京都大学教授で医学博士の糸川嘉則氏は、著書『生体微量金属の話』で、モリブデンについて次のように記している。

「中国で、土壌中のモリブデン濃度が低い地方では食道ガンの発生が多いとの研究結果が報告されています。アメリカでも、水道水中のモリブデン含有量が低いと食道ガンによる死亡率が高くなるとの報告があります。

また、動物実験でニトロソサルコシンという発ガン物質によるガンの発生が、モリブデン投与によって抑えられるとの結果も発表されています。

これらの報告だけでは結論を出すわけにはゆきませんが、モリブデンは抗

ガン作用を有する物質として期待できるかも知れません」

こうした意見からもタングステン同様、モリブデンも病気治癒という方向で目が向けられるべきだと思っている。しかし、いくらいいといっても、摂り過ぎはやはり問題。モリブデンの一日の必要量は100マイクログラムといわれているが、大量に摂った場合（一日10～15ミリグラム以上）は、痛風になるなど、尿酸の代謝障害が起こるので注意が必要だ。

過剰摂取についてはタングステンも気をつけなければならない。大量摂取した事例がないのでどんな症状が出るかは不明ながら、人体にとって何らかの問題はあるように思われる。

体に必要な微量金属

人間が必要とする栄養素は、大きく分けて三大栄養素と微量栄養素がある。三大栄養素というのは、脂肪、たんぱく質、糖質のこと。微量栄養素という

のは、ビタミン、ミネラルのことである。微量金属というのは、微量栄養素のうち、ミネラル（無機質）の中で、一日の必要摂取量が１００ミリグラム以下の元素のことを言う。

微量金属は、三大栄養素やビタミン、ミネラルなどの研究と比べると比較的新しい研究なためまだ明らかにされていないことも多いが、身体のバランスをとり、各機能を正常に働かせるためには必要不可欠なものである。

生体にとって必須な元素はたくさんあるが、なかでも大量に必要とされているのが、炭素、水素、酸素、窒素、硫黄、ナトリウム、カリウム、カルシウム、塩素、リン、マグネシウム、の11種で、これらは常量元素と呼ばれている。

これに対し、量はわずかながら、生体にとって不可欠なのが、次の16種の微量元素。すなわち、鉄、亜鉛、銅、マンガン、ニッケル、コバルト、モリブデン、セレン、ケイ素、ヨウ素、フッ素、クロム、スズ、バナジウム、ヒ

素、鉛――で、鉄欠乏による貧血、亜鉛不足による味覚異常などの病気がよく知られている。

このほかにもまだ証明されていないが、必須の微量元素はさらに数十種類あると言われている。微量元素は食品から摂るのが望ましいので、次に各元素を多くふくむ食品をあげてみた。

・鉄：乾燥のり、ひじき、番茶、あおのり
・亜鉛：せん茶（葉）、カキ、ココア、ごま
・銅：紅茶（葉）、カキ、抹茶、レバー（牛）
・マンガン：抹茶、せん茶、コーヒー（豆）、ごま
・ニッケル：ココア、抹茶、わかめ（乾）、大豆、納豆
・コバルト：たら、エビ、ココア（粉）、紅茶（葉）、キャベツ
・セレン：いわし、かれい、昆布、ラーメン、鶏卵
・ケイ素：昆布、はまぐり、ごま、パセリ、玄米
・ヨウ素：昆布、わかめ、のり、寒天、いわし

・フッ素：緑茶、煮干し、芝エビ、めざし、いわし
・クロム：こしょう、コーン油、はまぐり、鶏卵、バター
・スズ：アスパラガス、たら、パン、紅茶（葉）、鶏卵
・バナジウム：わかめ（乾）、昆布（乾）、抹茶、はまぐり、いわし
・ヒ素：さくらエビ、いか、いわし、まぐろ、たい
・鉛：昆布（乾）、抹茶、ほうれん草、いわし、カキ
・モリブデン（後出）

医療現場で進む「抗がん剤」としての重金属

長年にわたりタングステンの「薬効」について様々な雑誌等に発表してきたが、なかなか医学の専門家の目に留まる機会がなかった。いくらタングステンが病気の治療に効果があると私が言っても、しょせん素人。医学に携わる人が注目してくれない限り、タングステン治療法も日の目を見ないわけである。

そんな現状に歯がゆい思いをしてきたわけだが、ここへ来て少しずつ無機の金属化合物に関心を持つ医療関係者が出てきた。

（中略）

これもホウ素以外の材料を使うなどすれば、コスト面でも採算が取れる複合材ができるはずで、そうしたことを考えると、タングステンの特性を応用した複合材開発の夢は限りなく広がっていく。

なかでも私が目をつけているのが、原子力用の構造材料だ。これほど、約3400度という高い溶融点、比重19・3という重さや超硬というタングステンの特性を生かせる材料はないと考えている。

無毒な重金属、タングステン

イタイイタイ病の原因物質カドミウム、水俣病の水銀や神経障害を起こす鉛、さらに、吸入すると肺がんを促進するといわれるクロムなど、重金属はその毒性から、人体にとって危険なものというとらえられ方をしているのが

現実だ。しかし、人間の体には、必要な微量金属があり、これらを欠くと健康を害する原因となることはすでに述べた。つまり、一見不必要に思える金属のなかにも、いるものといらないものがあるということである。

「いるかいらないか」――これらを線引きする時のおおざっぱな基準となるのが、「有毒か無毒か」という点である。タングステンはどうであろうか。

結論を先に言えば、重金属中最も毒性が低いのが、タングステンなのである。

前述の名古屋工業試験所の元技官、甲田善生氏が同僚とともに9年前に発表した「重金属の潜在毒性の順位」（『公害と対策』１９８２年11月号に発表）によれば、タングステンの毒性は調査した51の重金属のうち、最下位だった。ちなみに、毒性が高い金属は、一位が水銀、二位カドミウム、三位亜鉛、四位イッテルビウム、五位タリウムなどの順だった（１６６〜１６７ページ表参照）。

甲田氏らは、沸点（液体が沸騰するときの温度）の低い重金属ほど毒性が強いことに注目。重金属の物理、化学的性質を相互に比較したうえで、これまでの毒性データなどを参照して重金属の毒性順位を作った。十年がかりの

順位	沸　　点		イオン化電位	°*K/V*	結果
	元　　素	°K	V		
26	Co　コバルト	3143	7.86	*Dy*	Eu
27	Nd　ネオジム	3341	5.49	*Ir*	Ir
28	Tb　テルビウム	3396	5.85	*Ho*	Tm
29	Pd　パラジウム	3413	8.34	*Er*	Sm
30	Gd　ガドリニウム	3539	6.14	*Ti*	Ti
31	Ti　チタン	3560	6.82	*Rh*	Re
32	Y　イットリウム	3611	6.38	*V*	Rh
33	V　バナジウム	3653	6.74	*Y*	Ga
34	Lu　ルテチウム	3668	5.43	*Ru*	Ru
35	Ce　セリウム	3699	5.45	*Gd*	Ce
36	La　ランタン	3730	5.58	*Tb*	Zr
37	Pr　プラセオジム	3785	5.42	*Nd*	Hf
38	Rh　ロジウム	4000	7.46	*Os*	Dy
39	U　ウラン	4091	(4)	*La*	Ho
40	Pt　白銀	4100	9.0	*Lu*	Er
41	Ru　ルテニウム	4173	7.37	*Ce*	Y
42	Ir　イリジウム	4403	9.1	*Zr*	Gd
43	Zr　ジルコニウム	4650	6.84	*Mo*	Tb
44	Hf　ハフニウム	4875	7.0	*Hf*	Nd
45	Mo　モリブデン	4885	7.10	*Pr*	La
46	Nb　ニオブ	5015	6.88	*Ta*	Lu
47	Th　トリウム	5063	6.95	(*Th*)	Pr
48	Os　オスミウム	5300	8.7	*Nb*	Ta
49	Ta　タンタル	5698	7.89	*W*	Th
50	Re　レニウム	5900	7.88	*Re*	Nb
51	W　タングステン	5933	7.98	(*U*)	W

重金属の潜在毒性の順位

順位	沸点			イオン化電位	°K/V	結果
	元素		°K	V		
1	Hg	水銀	630	10.44	*Hg*	Hg
2	Cd	カドミウム	1038	8.99	*Cd*	Cd
3	Zn	亜鉛	1180	9.39	*Zn*	Pb
4	Yb	イッテルビウム	1467	6.25	*Sb*	Cr
5	Tl	タリウム	1730	6.11	*Yb*	Tl
6	Bi	ビスマス	1833	7.29	*Bi*	Sb
7	Eu	ユウロピウム	1870	5.67	*Pb*	Os
8	Pb	鉛	2013	7.42	*Tl*	Zn
9	Sb	アンチモン	2023	8.64	*Mn*	Mn
10	Sm	サマリウム	2064	5.63	*Ag*	Ag
11	Tm	ツリウム	2220	6.18	*Eu*	Ni
12	Mn	マンガン	2235	7.44	*Au*	Au
13	In	インジウム	2354	5.79	*Sn*	Sn
14	Ag	銀	2485	7.58	*Tm*	Bi
15	Sn	スズ	2543	7.34	*Sn*	Cu
16	Ga	ガリウム	2676	6.00	*Cu*	Fe
17	Dy	ジスプロシウム	2835	5.93	*Fe*	Pd
18	Cu	銅	2840	7.72	*Ge*	V
19	Cr	クロム	2945	6.77	*Ni*	Ge
20	Ho	ホルミウム	2968	6.02	*Co*	Co
21	Ni	ニッケル	3005	7.64	*In*	Pt
22	Fe	鉄	3023	7.87	*Pbd*	In
23	Au	金	3080	9.23	*Cr*	Yb
24	Ge	ゲルマニウム	3103	7.90	*Ga*	Mo
25	Er	エルビウム	3136	6.10	*Pt*	U

たいへんな労作である。ここでは、やや専門的になるが、この研究報告書をもとにして、いかにタングステンが安全であるかを述べてみたい。

重金属というのは、比重が4、あるいは5以上の金属を指す。甲田氏らの研究では、なるべく多くの金属が含まれるよう、比重4以上の金属を研究対象としている。その結果、放射性核種のみからなる元素を除いた、比重4・5のイットリウム、チタンから、比重22・5のイリジウム、オスミウムまでの51の金属が含まれた。

重金属化合物としては、自然環境で安定する化合物だけを対象とし、水、空気、光で分解する化合物は除外されている。また、重金属の放射能による放射線障害も除外してある。

身体への採り入れられ方としては、呼吸器、消化器、皮膚を経由するなど、すべて自然な形で摂取されることが想定されている。

重金属の潜在毒性の考え方について、甲田氏らは同報告文の中で次のよう

に述べている。

「微量の重金属の存在は人体にとっても、ほかの生物にも必要な場合が多く、当然、毒性は表れない。しかし、環境や飲食物等の汚染によって重金属の濃度が高まると、生体に取り込まれやすい金属はやがて何らかの障害を起こすことになるので、潜在毒性があると考えられる。たとえばアルミニウムは地殻中に多量にあるが、その塩類は吸収されにくいので潜在毒性は低く、水銀は、少量の存在でも吸収、蓄積されやすいので潜在毒性が高い結果になる。（中略）重金属の場合は、生体に対する親和性と潜在毒性はほぼ同じ意味を持つことになる」

この研究でもっとも注目される点は、それぞれの金属の沸点に着目していることである。甲田氏らが、最高温度６０００度以上に耐えられる特殊な電気製鉱炉を使って実験した結果、人体に有害とされる金属ほど沸点が低いことが明らかになった。

例えば、潜在毒性第一位の水銀の沸点は365度、18位の銅2667度に対し、毒性最下位のタングステンは5660度だった。

なぜ、沸点が低いほど潜在毒性が強くなるかについては、「沸点の低い金属ほど個々の分子や原子に分かれやすい。生体に採り入れられたり、生体と反応したりするためには、まず分子や原子に分散する必要があるので、沸点の低い金属ほどこの条件が備わっていることになる」（同報告書）。すなわち、沸点の高いタングステンは、分子や原子に分かれにくく生体に過度に反応することが少ない分、毒性が低く安全であるというわけである。

『癌は私が治す』の著者、波多野賢輔氏も、タングステンの安全性について次のように述べている。前述したがここで改めて紹介してみると――。

「クロムやカドミウムと同様に、それが人体内に採り入れられれば、強い毒性を発揮するだろうと思われがちだが、タングステン酸ソーダは水溶液において、金属イオンに解離しない。ナトリウムの陽イオンと酸素原子4

個と結合したタングステン酸基の陰イオンに解離するにとどまり、決して金属を遊離しない。金属性の毒性を心配する必要は全くない」
（中略）

タングステン酸ソーダの飲み方と入手方法

水溶液、目薬の作り方

一度沸騰させた水１００ccに対し、タングステン酸ソーダを２～３グラムの割合で溶かす。清涼飲料水などの空きボトルを利用して作るとよい。

水道水を使うと、水道水中のカルシウムとタングステンが結合して、タングステン酸カルシウムができ水溶液中に白い結晶ができるが、胃に入れば分解するので心配はいらない。

目薬として使う場合は、この結晶があると不都合なので、溶液を一昼夜放置してから、ろ紙でろ過して使うといい。ドリップ式コーヒー用に市販されているろ紙を使うと便利。

飲み方、点眼、外用の方法

胃腸病などで内服するときは、よく容器をふってから一日一回、朝の空腹時に20cc（だいたいグイノミ一杯）飲む。このとき、口に含んだらすぐ飲み込まず、1分ぐらい口の中でうがいをする要領で「ブクブク」とやってからゆっくりと飲み込む。胃が悪いときは、服用後、床に寝そべり、身体をゆっくり回転すると、胃壁にまんべんなく水溶液が行き渡る（後略）（著書『胃かいようが治るタングステン酸ソーダ』のコピーの転載ここまで）。

この著作に興味のある方は、国会図書館、横浜市中央図書館、宮城県立図書館、滋賀県立図書館に実物があるもようですから、お訪ねください。

タングステン酸ソーダの具体的な服用法と効果

ここで簡単に私の出した結論を書きます。

1. ２０１２年３月末日時点で船井幸雄が理解したタングステン酸ソーダ療法は、特定の病気については有効な万能（？）に近い効果をいろんな面で現出すると思われる。またその種の病気の予防にも卓効があると思える。

2. その治療法は服用（１日に１回空腹時に20ccぐらい）と、塗布、湿布である。

3. 効果のあるのは、次のような病気と思われる。
①がん、②潰瘍、③糖尿病、④リウマチ、⑤水虫、⑥白内障・老眼、⑦火傷、⑧認知症、⑨パーキンソン病、⑩口内病、⑪フケ、⑫二日酔い、⑬自律神経失調症、⑭肥満、⑮皮膚病、⑯手足のしびれやふらつき、⑰歩行障害、⑱胃腸病、⑲痔、その他（これは今後、まだ増えると思われる）

4．沸騰させた水1リットルに対してタングステン酸ソーダ粉末を20〜30グラム溶かすとよい。水は水道水でも充分で、常温で、どこでも保存ができる。これで2〜3％水ができる。これがもっとも安全で効果的なようだ。

5．ともかく安価である。

6．動物に使ってもよさそうである。ただ身体の大きさに応じて量は加減すること。

7．これを、本格的に研究すると、医療費はびっくりするほど低減するだろう。

以上のとおりです。

本章のはじめに紹介した1から8の療法についても、詳しく研究するとタングステン酸ソーダ法のように抜群の効果をあげるものがほかにもあるように思います。

医師や製薬会社はこのような手法が公開されますと、一見しますと一時的に困るかもしれませんが、彼らなりの活用法はいくらでもあると思います。

ともかく病気にならない、病気を完治させないまでも、病状を軽くし、よくするというのは、人間にとって、こんなに大事なことはありません。とりあえず読者各自のご研究をぜひよろしくお願いしたく思います。

ただ、くれぐれも慎重におやりください。

第5章
闇の勢力にも協力してもらっていい世の中を創ろう

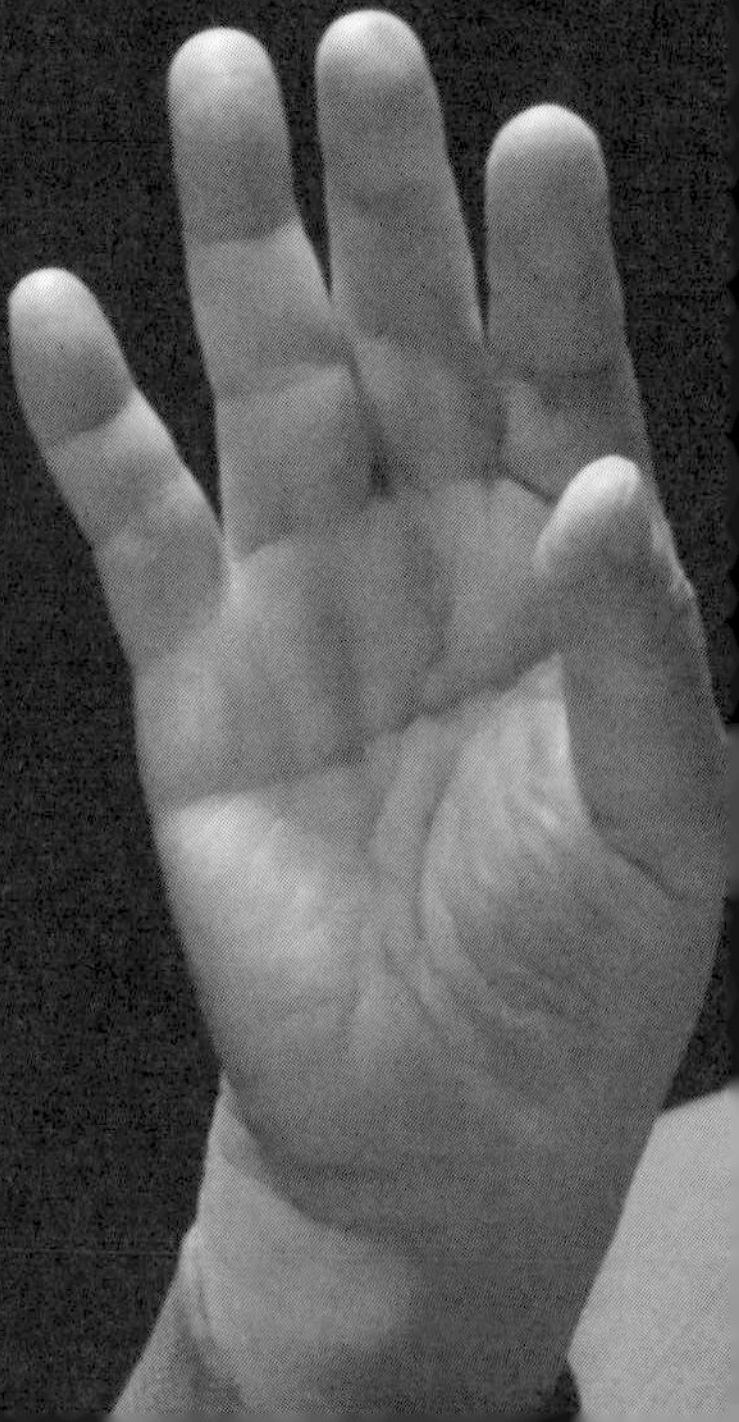

ここ十余年くらい前から世界中で話題になっていた「闇の勢力」＝「シークレットガバメント」＝「人類の本当の意味の隠れた支配者」について私流に説明してみた。最近、それらが非ユダヤ教徒（?）の「サバタイ派」であるとする人が私の周辺に何人か出てきたし、そんなことにほとんど未知の多くの日本人も、一応サバタイ派などの西洋の歴史上の真実について知っておいてもよいだろう……と思ったからである。本章を一読してもらえば、サバタイ派がどのようなもので、それを、いまどうして話題にする人がいるかもおわかりいただけると思う。

本章の大部分は数回しか会わなかったが私の畏友であった太田龍さんが、私に対して2〜3時間もの時間をかけて説明してくれたことをまとめたものである。

そのとき、説明に特別に反応しない私に、彼が「どうしてこんな大事なことを平気で船井さんは聞き流すのですか?」と言ったように記憶している。そのときは、気乗りしなかったのである。確かに大事なことだが、「真の自然の理」とも「時流」とも反するこの考え方は根本的に疑問だからだが、いまとなっては歴史はやはり学ぶものであり、太田さんに申し訳なかったと強く思う。ただ、「もはやサバタイ派の考え方などはひと昔前のものであり、時代遅れの思考であることだけは確かだ」と、私はいまも強く言いたい。

とはいえ、「船井メールクラブ」の会員にもっとも喜ばれたのは、少し改筆したが本章の文章（発信文）だった。太田龍さんに心から感謝し、ご冥福を心から祈りたい。

サバタイ派を知らずして世界の流れは理解できない

この原稿を書きだしたきょうの日付は、２０１２年４月27日です。

ここ半年ばかり口腔内の調子が悪く、半分くらい筆談で用を済ませていた私ですが、きょうは３分の１くらいの筆談で済ませられるところまで回復しました。

きょうは午後、㈱ヒカルランドの石井健資社長と、私の担当編集部員の小暮周吾さんが私宅へ来てくれました。半年ぶりくらいの再会です。

この間に、去年（２０１１年）12月〜今年（２０１２年）２月上旬には体調が急悪化し、『船井幸雄の大遺言』（３月末、青萠堂刊）という本を出したくらいですから、自分でもよくぞここまで回復できたと思っています。

とはいえ、体力はまだ正常時の４分の１くらいで、４月11日から、（免疫力、体力の急低下によって発病するといわれている）帯状疱疹が腰部に突如現れ、

帯状疱疹　水痘・帯状疱疹ウイルスによって発症する。水痘でウイルスに感染すると、水痘が治ってもウイルスは神経節内に残っていて、なんらかのストレスがあったときに帯状疱疹として発症する。帯状疱疹は一生に一度と考えていいが、再発する率が５％ほどある。

まだ完治しておりません。

ところで、きょう、石井さん、小暮さんと話し、1冊の本を出すことに決めました。

それは、いま「私が興味のあることについて」書きまとめたいということです。たとえば、いま私の机上にある数冊の本をもとに真実をマクロにまとめてみよう……と思っています。

8月中には出版にこぎつけたい……くらいの気分で、のんびりやります。

それゆえ、どんなことに興味をもっているかを5月3日の船井メールクラブの発信文としてヒカルランドの著書の手引きとして先に少し発表しておこうと思います。

いま、私の机上には、とくに興味のある資料として、数種の手紙やレポート、さらに本などがあります。

その1つは、今年4月17日に日本経済新聞社の喜多恒雄社長に、私が直接出した手紙（書留）と4月16日の私の『船井幸雄ドットコム』の発信文です。

2つめは、4月22日に経済アナリストの朝倉慶さんが送ってくれた「TARGET2」と題する「ドイツ連銀はユーロ圏分裂に備えている」というジョージ・ソロスさんの指摘に関する解説レポートです。

3つめは、4月23日に時事評論家の増田俊男さんが送ってくれた『日本は「限界」を乗り越え、アジアの安定に寄与する』という小冊子です。この本は、いまの世界の政治・経済情勢をうまくまとめています。

4つめは、ジャーナリストのベンジャミン・フルフォードさんの著書『勃発！　サイバーハルマゲドン』（2012年4月、ベストセラーズ刊）で、著者からの寄贈本です。私と彼はとくに仲がよいのです。お互いに人間としての信頼感が強いのです。

5つめは、ベン・アミー・シロニーさんと中丸薫さんの『日本とユダヤの超結び　なぜ日本中枢の超パワーは「天皇」なのか』（2012年4月、ヒカルランド刊）で、これは中丸さんが1週間ほど前に送ってくれたものです。彼女は古くからの友人です。

そして6つめは、私と思想家の太田龍さんの共著『日本人が知らない「人類

ジョージ・ソロス　1930年、ハンガリーのブダペスト生まれ。投機家、ヘッジファンドのオーナーとして、世界的に活躍。個人資産は220億ドル（約1兆7600億円）ともいわれる。現在は、慈善活動に精力的に取り組んでいる。

支配者」の正体』（２００７年10月、ビジネス社から初版本発刊、その後ヒカルランドから再刊）です。もちろん、私のこと故、完全にこれらを読み、内容は熟知しています。

このうちの４月16日の『船井幸雄ドットコム』の発信文と『日本人が知らない「人類支配者」の正体』中の太田さんが私に一所懸命に強調した（?）サバタイ派についての部分（初版本の第４章＝１４０ページから１７４ページ）を、おもにここに５月３日の発信文として発表しようと思うのです。気になるからです。ただ私は、サバタイ派には、それ以外の興味は昔もいまもありません。

考えてみますと、日本経済新聞の広告審査部門（?）が「彼らの本は問題だ（?）」と言っているように思える太田龍さんやベンジャミン・フルフォードさんは、ときどき「サバタイ派」について発言していました。ただし、これらについて私自身はあまり興味がなかったのです（船井注：日本経済新聞社とも、現在、この件については話し合い、円満に解決しました）。ただ、日本人の有識者としては、世界の流れを正しく把《つか》むためには知っておかねばならないことが多く、これらのことを知らないためのマイナスはおおいにあると思います。

広告審査部門　新聞や雑誌などに掲載したり、放送したりする広告が適正なものかどうか審査する審査部または考査部が、新聞社、出版社、放送局などにある。虚偽、誇大、不正をチェックしているとされるが、その審査基準が明らかにされることはなく、恣意的に運用される可能性は否めない。

日経新聞が私の本の広告掲載を一度は疑問視した理由とその文章

太田さんが言うように、日本人のほとんどはサバタイという人のことをまったく知らないようです。

これを書きたいと思ったのは、私の興味と知識の一つである「聖書の暗号」や、徳間書店から出た『ユダヤ人の歴史（上下）』（ポール・ジョンソン著、石田友雄監修、阿川尚之・池田潤・山田恵子訳、１９９９年９月刊）などのことを一とおり知りますと、「これらは一般に知らせておくべき大事なことだ」と、日本経済新聞のこともあり、思えたからです。

なぜ、日本経済新聞がある種の本について、広告を拒否するかのポイントも、私にはその辺にありそうに思えます。そういう意味でも知っておいたほうがいいと思います。

以下の発信文を、ぜひゆっくりお読みください。

まず、以下は4月16日の『船井幸雄ドットコム』の発信文の一部です。少し改筆しています。詳しく知りたい方は、全文をお読みください（http://www.funaiyukio.com/funa_ima/index.asp?dno=201204003）。

いま一番知らせたいこと、言いたいこと
——「日本経済新聞」と「要注意人物」

２０１２年４月16日

船井幸雄

５年余も病気で苦しんでいた私が2月中旬から急に元気になり出して、４月に入ってからは久しぶりに講演などをしはじめた矢先（4月5日も「船井塾」で1時間余は「最近びっくりしたこと」という講演をしました。「びっくり現象」は正しく解釈すると「真実」が分かり、「時流」や「対処策」が

分かるからです）、4月5日に、版元から私の新著『船井幸雄の大遺言』（青萠堂刊で3月末日から書店に出ています）が日本経済新聞（以下「日経」と略します）から書籍広告を断られたと連絡があり、大びっくりしました（私が、この本を創っていた2月上旬には、もう永く生きていないと思うくらい最悪の体調だったので、こんな題名になりました）。版元の尾嶋四朗社長からの連絡では、「前著の１１０ページと１５７ページ、そして２７８ページに特定の人、または団体（？）を誹謗するようなことが書いてあるから『日経』紙上には広告として出すわけには参りませんね」と、広告審査の担当者（？）が言ってきたということなのです。これには、再びっくりしました。

御存知のように、私は人さまの悪口を言ったり、誹謗したことは、ここ40年来ゼロに近いと思います。これは私の信念であり、生きざまなのです。それらは、絶対に損をしても得にはならないし、そんなことを考えているひまのないような人生を送ってきたからです。

ともかく尾嶋さんに聞いても、それ以上は分からないので、近々少しひまができましたら「日経」の社長あてに手紙を書く予定です（船井注：翌日17

日に手紙を、書留で送り、その返事は版元にもう届いております。5月には日経新聞社も広告に応じてくれました)。

それはさておき、つぎに前掲の私の著書の110ページ、157ページそして278ページをそのまま掲載いたします。このホームページの読者のご意見を聞きたいのです。

まず、110ページです。

(2)陰謀やお金第一主義と、いいかげんにおさらばしよう。

ヒカルランド刊の本に『われら二人超アンダーグランドとかく戦えり』(2012年1月刊)という対談本があります。

対談者はベンジャミン・フルフォードさんとアレクサンダー・ロマノフさんで、2人がストレートに彼らの知っている世の中の裏情報を話しあったものと考えてよい本だと思われます。ふつうの人が読むと、びっくりするようなことばかり話されています。

興味のある方は読んでみてください。

いまの世の中というか、支配層の人間が狂っていた（いる）ことがよく分かります。

このままでは、地球人や地球のアセンションなどは決して生起しないでしょう。

いいかげんに人間として正しい生き方に目ざめてほしい……と思い、この本のことをここに題名だけ紹介しておきます。

次に、157ページです。

2『地球の支配者は爬虫類人的異星人である』太田龍著（2007年9月30日　成甲書房刊　本体1700円）

いまは亡き太田龍さんが、私に「読んでください」とプレゼントしてくれた本です。彼は、その後、私との共著を著すと急逝してしまいましたが、私は彼が信じていた、地球人の支配者はレプティリアンだったという説は、数十%以上は正しいようだと思っております。そしてその系統から「闇の権力者」というか支配者が出たのだと考えると筋が通りますから、これは

レプティリアン　人型爬虫類とも。さまざまな説があるが、過去にほかの星からやってきた宇宙人がレプティリアンで地球人を家畜として育てているという見方、また絶滅せずに生き残った恐竜がレプティリアンだという見方がある。いずれも、人に取り憑いたり、人の姿をまとって、世界を支配しているとされる。

無視できません。

近年、ヒカルランドからデーヴィッド・アイク著・為清勝彦訳の『ムーン・マトリックス』全10巻が出ましたが、アイクの本とともに太田さんの本を読むと、「なるほど」とおおいに参考になります。ともに、ぜひ御一読ください。

ともあれ、『聖書の暗号』などから分かることは、レプティリアンたちは、1990年代後半には、地球域から去ったようですが、太田さんのこの本はそのことも含めて人類史について考えさせられるよい本と言えます。


最後に、278ページです。

『聖書の暗号』の「愛のコード」と『日月神示』を参考に本書の結論を言いますと、①よい世の中を創るのは、主として日本人の役割である。②このまま行くと今年から数年内に大難が人類を襲うが、それを小難にする方法はある。③日本人よ、人間性を高め、「自然の摂理」に従って正しく生きなさい。④ただ、本当のユダヤ人（?）と仲良くし、シークレットガバ

メント（闇の権力者）＝イシヤ＝フリーメーソンをぜひ抱きこんでください。それらが大事なことになります。⑤あとは『日月神示』を詳しく知り、示されていることを実践してください……というようにまとまります。これが対処法の結論です。

いままでのところ『日月神示』の予測や発言は１００％といっていいほど当たっています。神示の内容も良識者なら完全に納得できることばかりです。読者の知識としては、最低限、本書で書いていることを知ってもらえば、大丈夫でしょう。そして、全てを「おおきに」と感謝することです。これが本書の大事な結論なのです。これだけのことを、どうしても、この「あとがき」で本書の総結論として書きたかったのです。

これで、「河内のおっさんの大遺言」も活きることになります。

ありがたいことに、今月中旬から、私の体調が徐々にですが回復してきています。まだ、電話で話をしたり講演はムリですが、ここ一年余り四六時中必要だったマウスピースも、いまは外せるようになりました。きょうは少ししゃべれます（版元が日経側から指摘されたというページの転載こ

こまで)。

これを読んでどう思われますか? 私には「日経」の広告拒否が「びっくり」なのです。お金は広告主の出版社が払うのですが、新聞社にとりましては、大事なお客さまだと思います。

2007年に当時のビジネス社の社長の岩崎旭さんの紹介で太田龍さんを知りました。彼は突飛に聞こえることをよく言うのですが、よく調べているし、お人柄も悪くない。

年齢も近いので話が合い、仲よくなりました(ベンジャミンさんも私の友人で、彼は年齢は私より、はるかに若いが仲よくやっています)。

それを対談本の形でビジネス社が本にしたのです。『日本人が知らない「人類支配者」の正体』(2007年10月刊)という本です。もっぱら太田さんが問題を提起し、私が(彼を)たしなめている内容の本です。なぜか彼は私に惚れこんでくれました。

すっかり親友になったのですが、お会いしたのはそのための2、3日とあ

と1、2回くらいで、彼は突然「あの世」の人になってしまいました。

しかし、ビジネス社では、この本ができたとき、太田さんの本や対談本は「日経」が広告に載せてくれないから、朝日、読売などを中心に広告をうちますよ……というのです。私はここで、はじめて「日経」新聞の広告拒絶について知りました。（以下略）

私は、それまで超元気でカゼ一つひかないような人間だったのですが、2007年3月からは左上半身にかぎり、つぎつぎに難病に苦しめられてきました。20以上もの病名を（医師から）もらいました。

2011年も12月中旬から左下アゴ骨骨髄炎、舌咽神経痛、オーラル・ジスキネジアが重なって悪化し、12年の2月上旬には、もう生命も永くないし、あと1カ月も生きられないだろうとすら思いました。話せないし、喰べにくいし、睡眠も充分にとれない。その上、左ほほがしびれて痛いのです。そこで生きている間にぜひ創りあげたいと思って、急遽、遺言書を創りはじめたのです。一から書いているひまがないので、最近の私のブログの記事をピッ

クアップし、40％くらいはカットし、さらに30％くらいを新たに付加し、体系的にまとめてそれらをつないで、「まえがき」と「あとがき」で補足説明いたしました。

大阪府下の河内生れの私は、すでに79歳ですし、いままでの経験上からいろんなことを知っていますので、「河内のおっさん（年輩の何でもいえる年齢になった男性のことを河内弁では〈おっさん〉と言います）世界にもの申す」とサブタイトルをつけて、一冊にまとめたのです。

ところが、まとめが大方終りかけた2月中旬から、めきめきと体調が回復しはじめました。遺言ではなく大遺言としたのは、広辞苑をみると、「大」という字には、（1）大きい、（2）豊か、（3）秀れている、（4）最上級、そして（5）美しいという意味があると出ていたからです。版元の尾嶋四朗社長には「出すのをやめましょうか」と相談したのですが、折角つくりあげた本なので、最初の題名のまま、予定どおり発刊してもらうことにしました。

ただし、「日経新聞に広告を出してくださいよ」とたのんだのは私なのです（青萠堂はほとんど日経新聞を広告媒体として使っていなかった出版社で

す）。

私の著作は400余冊になります。2000万冊以上出ています。その90％くらいは日経新聞の書籍広告でPRして売ってきたと、私には思えるからです。

事実、「日経」とは永い付きあいです。著書も同社から出したことがあります。日経流通新聞の発足時には、深く付きあい、隔週に書く欄まで持っていたくらいです。当時の幹部や主な経済部、流通経済部の記者にはいまでも付きあっている人が何人もいます。

それに私も永い間、「日経」を読んでいます。愛読者の1人です。「日経」の記事は、同社の性格さえ知れば、こんなに常識的、現実的な読み応えのある新聞は日本には他に余りないと思うのです。また経営も上手な会社です。

この新聞社が特定人の著書の広告拒否をするなんて、2007年までは夢にも思っていなかったのです。

私の見解としましては、だれが書いた著作内にでも、太田龍さんの本、ベンジャミン・フルフォードさんの本についていては、少しでもその紹介があると、

その本の広告は出さない。

もう一つは、ユダヤ人や聖書については「日経」の考え方（これは私には分かりませんが）と反する可能性があれば、船井幸雄の本については広告を拒絶する……というのが同社の姿勢のように感じられます。

正直に言いますと、ヒカルランドは、「日経」には広告を載せなくなったと思いますし、青萠堂も多分今後は付きあいをやめると思います。

というのは、朝日や読売、毎日、産経、中経ならびに東京新聞などの大手メディアは、『船井幸雄の大遺言』も大歓迎です。すでに読売、中経、東京などには広告が載っています。

ともかく「日経」は要注意人物を「だれかの意図」で創っているように思えてなりません。本来、そんな「日経」ではないはずですが、広告すら自紙の考えに反すると思える（？）人のは無条件に拒否するというのは（自紙の考えを発表しないゆえ分かりませんが）残念なことです。

私は日本人のために、このブログの文とともに、なぜ今回拒絶されたかを日経社長に質問する手紙を出します。

ことによると「日経」以外のメディア媒体にこの質問の手紙とともにその返事を発表してもいいと思っているからです。

というのは、私は限りなく「日経」が好きですし、その考え方や性格を多くの人に知ってもらいたいからです。（以下後略）（一部転載ここまで）

サバタイ派と世界の金融支配のシステムを知っておこう

続いて、太田龍さんと私の対談著書『日本人が知らない「人類支配者」の正体』中の太田さんが、私に一所懸命教えてくれようとした（？）サバタイ派についての部分を紹介します。以下の発言はすべて太田さんによるものとして同書には彼の発言をまとめました。

うまく「まとめられている」と思います。なお、ページ下の説明は、本書のために付記したものです。

ユダヤから目を逸《そ》らしては世界の動きを語れない——太田　龍
〜日本人が知らない「闇の権力者」の構造と正体を暴く〜

日本人がまったく知らされていない西洋史における六つの秘密

①キリスト教はユダヤがでっち上げたもの。キリスト教とユダヤ教の対立抗争は、ユダヤによる演出

太田　幕末、明治初年以来、日本は西洋の完全なイデオロギーの支配下に陥りました。その以前、江戸時代はオランダから与えられる情報を逐次、消化していたわけです。それから百数十年、そのように与えられた西洋と歴史についいて、日本人にはいまだにまったく知らされていない秘密がたくさんあります。

その主要なものは六つあると思っています。その一つは、日本では、キリスト教以降の西洋史に関して、「キリスト教はユダヤ教から分かれてできた

独立の宗教」としか教えられていません。これはまったくの嘘で、実際には、ユダヤがキリスト教なるものをでっち上げたのです。

キリスト教とユダヤ教が対立抗争しているかのように、最初からユダヤによって演出されているのです。キリスト教の最初の法王の何人かはユダヤ人であり、古代ローマ帝国のコンスタンティヌス大帝（在位３０６〜３３７年）によって、ローマの国教としてキリスト教が採用された時点でキリスト教の教会の教父、主要な宗教的指導者の大部分がユダヤ人になったのです。ユダヤ教の枠組みのなかに世界中の人々を捕捉するために、ユダヤ人がユダヤ教とキリスト教が対立しているかのような決まりをつくって実行した。それが真相です。

②ユダヤ教、キリスト教、イスラム教などの世界宗教は、イルミナティの人類支配のための道具としてつくられた

第二は、ユダヤ教やキリスト教や、さらに後に出てきたイスラム教などの世界宗教は、なんとなく自然に出てきて生まれたように思われています。

イルミナティ　世界の実権を握ってきた秘密結社。キリスト教の異端とされたグノーシス派、十字軍として戦ったテンプル騎士団、暗殺団のアサシン、フリーメーソンなどがその系譜とされる。はっきり名前が残っているのは、1766年にバイエルン王国のアダム・ヴァイスハオプトが組織したイルミナティで、知識人による世界支配を提唱したが、異端とされて８年で活動を終えている。

「神の啓示」と彼らは称していますが、日本人は唯一の神の啓示がどうのといわれても信用しません。どうしてそれらの世界宗教が生まれてきたかというと、イルミナティという、超古代にシュメール、エジプトの時代から地球を支配しているイルミナティによって、人類を支配する道具としてつくられたからです。

つまり、人類を完全に奴隷化するということが超太古の時代からイルミナティという秘密結社の基本的な考え方だったのです。しかし、イルミナティのピラミッドの頂点であるエリートにとって、世界中の多数の人間を奴隷化するといっても、暴力で制圧するというのではあまりにも効率が悪い。そこで人間の精神を監獄に入れる、宗教というシステムをつくることにより、効率的に人間を奴隷にすることを考えたのです。

だから世界宗教の基礎は、超古代のエジプトとシュメールでつくられ、形こそ違いますが、基本的には現代に至るまで一貫しています。

そのことを日本人はまったく教えられたこともなければ、ほとんど知りません。

シュメール　紀元前3500年頃の最古級の文字、シュメール楔形文字で知られる。チグリス川とユーフラテス川の間（現在のイラク、クウェート）で栄えた最古の都市文明で、メソポタミア文明の源流とされる。民族は不明である。やがてアッカド、バビロニアに支配され、紀元前550年にペルシャ帝国に併合された。

③ヴェネチアの「黒い貴族」は、世界支配を目指す金融寡頭権力体制《オルガルキー》

第三は、ずっと時代は下りますが、ヴェネチアというものを日本人はほとんど知りません。非常に間違った形式的な歴史を教えられています。しかし、ヴェネチアというのは西暦４８０年頃に西ローマ帝国が滅びた後、ローマ帝国の貴族の一部がヴェネチアに避難してできたのです。ヴェネチアはイタリア半島の東の奥のほうに位置しますが、そこを基地として避難場所としてローマ帝国の貴族の一部がそこに移動しました。そこからヴェネチアがイルミナティの正しい世界首都として成長していくように段取りがつけられたのです。

後に、ヴェネチアの「黒い貴族」といわれるのですが、彼らの統治のシステムは「寡頭権力（オリガルキー）」といって、金融寡頭権力体制を築きます。それは１００とか２００とかあるといわれる世襲された世界権力の家族からなっています。

「寡頭権力」というのは莫大な金融その他の富や資産を持って、国家権力を独占し、貿易によってヨーロッパ半島や地中海沿岸地域、それから黒海を通

黒い貴族　1870年にイタリア王国がローマを占領したときに、教皇側についたローマの貴族たち。彼らは教皇に貴族にしてもらった血筋で儀仗兵の資格を有していた。1939年に教皇となったピウス12世は黒い貴族の出身。1963年に教皇に就任した改革派のパウロ６世が彼らの権利を剝奪した。ヴェネチアの黒い貴族の系譜は300人委員会として、いまなお世界の権力をにぎっているとされる。

ってロシアに浸透していきます。後にイスラムが登場した時点ではイスラム世界にも浸透していきます。だから、事実上、イスラム教とキリスト教の両方における世界的な金融と貿易、そして武力の背景を持つ権力体制をヴェネチアはつくったわけです。

●十字軍戦争は、カトリックとイスラムを戦わせる金融寡頭権力の演出

そしてヴェネチアが起こした重要な事件はたくさんありますが、そのうちの一つは11～13世紀に起こった十字軍戦争です。十字軍戦争はカトリックのローマ法王庁が旗を振ってエルサレムをイスラムから取り戻すと称して、4回くらい大戦争を起こします。

しかし、カトリックをそういうふうに煽動して十字軍戦争を起こすためには、西ヨーロッパから軍隊がエルサレムまで遠征するための途轍《とてつ》もない多額の軍資金が必要になるわけです。

それから軍隊を出すために、艦隊を組織しました。そのための資金は全部、ヴェネチアの「黒い貴族」が用意しました。用意したといっても、タダでく

れるわけではありません。ローマ法王庁とかフランスや英国とかスペイン、ドイツとかの国々の王侯貴族に軍資金を貸し付けて「利子」を取るわけです。

そしてヴェネチアはイスラムにも目をつけます。それからビザンチン、東ローマ帝国の後継者としての東方ギリシア正教をも支配下に入れます。この三つの地域にヴェネチアは目をつけるのです。

そのような勢力を利用して、カトリックとイスラムを戦わせ、カトリックと東方ギリシア正教を戦わせます。そして自分たちがそれぞれの地域に軍隊を動員して、十字軍戦争をだんだん大規模なものにしていく。大規模なものにしていくほどヴェネチアの黒い貴族はたくさんのお金を貸し付けて、利子を生み出していきます。だから十字軍戦争というのは、ヴェネチアの黒い貴族が、最初から最後まで振り付けをしているわけです。

そういうことが日本人にはまったく知らされていません。

●モンゴルを世界帝国にでっち上げたヴェネチアの「黒い貴族」

その次は、当時、１００万から２００万人という非常にわずかな人口の遊

東方ギリシア正教　ギリシア正教、東方正教とも。コンスタンディヌーポリ・アレクサンドリア・アンティオキア・エルサレム総主教庁と親しい関係にある正教会をいう。アルメニア・シリア・コプト・エジプト正教会は別系統。1054年にローマ教皇とコンスタンディヌーポリ総主教が相互に破門して分裂が決定的となったが、476年にローマ帝国が滅亡してから東西教会は交流がなかった。

牧民族のはずだったモンゴルが、ユーラシア大陸全体の半分ほどの面積を領土にして、13世紀にあっという間に世界的な大帝国になってしまった理由です。

それはモンゴルを世界的な大帝国につくりあげる決定的な指令があったからです。ヴェネチアがモンゴルの宮廷にエージェントを送って、モンゴルの軍隊に対して、「こういうふうにヨーロッパやイスラムを攻めれば成功する」という情報を与えた。そういうふうにしてモンゴルを世界帝国にでっち上げたのがヴェネチアの「黒い貴族」だったのです。そのほかにモンゴルが俄《にわ》かに大世界帝国に転化するなんらの必然性も条件も存在しません。

ヴェネチアが彼らの世界権力を推し進めるために、モンゴルの世界帝国をつくることを必要として推進したのです。『東方見聞録』で有名なマルコ・ポーロも、ヴェネチアの黒い貴族が送り出したエージェントだったのです。

●コロンブスの大航海に情報と戦略と資金を拠出した金融寡頭権力

その次は、15世紀の大航海時代にポルトガルがマゼランを、スペインがコ

ロンブスを派遣してアメリカ大陸到達のために艦隊を送ります。しかし、航海を組織するには莫大なお金が必要です。その資金を出したのはヴェネチアを主たる勢力とする北イタリアの商業貿易・金融都市の勢力です。彼らが、大航海時代のための情報と戦略と資金とを拠出しました。

大航海時代の背景はポルトガルとかスペインとか英国とかという、それぞれの国家ではなく、ヴェネチアに浸透する金融寡頭権力だったのです。そのようにして彼らは世界支配をさらに進めたわけです。

●キリスト教の大分裂、宗教改革の真の目的は「黒い貴族」による世界支配

そして最後はキリスト教・カトリック教会を大分裂させることでした。

1517年、マルチン・ルターがローマ法王庁に挑戦して、免罪符を否定する抗議の紙を張り出したら、あっという間に非常にわずかの時間に、全ドイツに広がりました。しかし、そのルターの背後にいたのはヴェネチアの「黒い貴族」だったのです。ルターをヒーローに仕立て上げて、全ヨーロッパ、とくにドイツで、カトリックとカトリックに反対するプロテスタントという

プロテスタント　宗教改革でカトリック教会（西方教会）から分裂。ローマ・カトリック教会に抗議（ラテン語でプローテスターリー）するという意味の名。

勢力が起こり、キリスト教会は真っ二つに分かれるわけです。

そして10～20年後にヴェネチアの「黒い貴族」はプロテスタントで脅かされているキリスト教会、カトリック教会に対して、プロテスタントと戦うための「イエズス会」という新しい修道会を組織したのです。イエズス会の創設者イグナチオ・デ・ロヨラとフランシスコ・ザビエルを選抜して任務を与え、お金を提供して強固な組織にしたのはヴェネチアの「黒い貴族」だったのです。

また、ヴェネチアの「黒い貴族」はカトリックを分裂させて両方を嗾《けしか》け、両方に資金を与えカトリック教会の分裂とすごい殺し合いを、背後で操縦したのです。

プロテスタントとカトリックの争いがもっとも激烈に発展したのがドイツで、ドイツでは両派の宗教戦争によって人口が半分程度になってしまったという地域があるくらいです。ヨーロッパのキリスト教会の権威に壊滅的な打撃を与えることによって、ヴェネチアの黒い貴族は、彼らの世界支配を次の段階に進めようしたわけです。

宗教戦争　カトリックとプロテスタントのあいだの争いは、ヨーロッパ全体を巻きこんだ。1529年と1531年のスイスのカッペル戦争、1546～47年のドイツのシュマルカルデン戦争、1562～98年のフランスのユグノー戦争、1618～48年のドイツの三十年戦争、1568～1648年のオランダの八十年戦争などがある。ヨーロッパで政教分離が進んだのは、これらの宗教戦争の反省からだといわれる。

その辺になると、西洋の近代史も日本と関連してきます。しかし、日本人はいまに至るまでこのような西洋史の真相についてなにも情報を与えられていません。

④バビロン→ローマ→ヴェネチア→ロンドンへと変遷したイルミナティの世界首都

ヴェネチアの黒い貴族の問題を考えるとき重要なことは、西洋というのは超古代のシュメールから現在に至るまで、権力の傾向が完全に一貫しているということです。そしてイルミナティの世界権力の拠点である首都がどういうふうに変遷したかという問題が出てきます。ある種のもののわかった西洋人にとってこれは常識です。

最初のイルミナティの首都はバビロンです。バビロンはシュメールが滅びたあとバビロンになりますが、シュメールとつながっています。バビロンがイルミナティの世界の最初の首都だったのです。

その次はローマです。ローマ帝国は８００年くらいにわたって大帝国をつくります。イルミナティの首都がバビロンからローマに移る。そして、西ロ

バビロン　紀元前3000年末にアムル人が現在のバクダッドの南90kmに都市を建設。これがバビロンである。都市国家が群雄割拠するなか、紀元前18世紀にハンムラビ王がメソポタミアを統一、紀元前600年代に新バビロニア王国となって繁栄するが、まずペルシャ、次にアレクサンダー大王に滅ぼされる。大王はバビロンを都としたが、その死亡と砂漠化のなかでバビロンは衰退した。

ーマが滅ぼされると、その後のイルミナティの世界首都はヴェネチアに移るのです。ヴェネチアというのは西ローマが滅びたあと、ローマの貴族がそこに避難して栄えました。ヴェネチアが世界史に登場するのは、西暦9世紀頃です。そして彼らは十字軍戦争以降、5〜600年にわたってヴェネチアを世界首都としたのです。その辺の事情が日本の世界史には逸脱しています。

ヴェネチアがキリスト教の分裂を仕向けたあと、大航海時代によって世界がヨーロッパ、地中海、中近東から大西洋、太平洋という具合に広がっていきます。そこで、世界首都はヴェネチアでは都合が悪いということを認識して、新しい状況で対応できる世界首都としてロンドンを選んだのです。

ロンドンというとテームズ河を思い出しますが、ロンドンを彼らの世界首都にするために16世紀、ヘンリー7世の宮廷にエージェントを潜り込ませ、ヘンリー8世の時に、ウイリアム・セシル家がヘンリー8世の宮廷で重要な役目を果たします。このセシル家というのはヴェネチアが送り込んだ工作員です。

そのあと、エリザベス1世が女王の座につきます。エリザベス1世の時代

ウイリアム・セシル　1520〜1598年。下級貴族とも裕福な商人ともいわれるが出自は不明。名門貴族の出でないセシルがイングランド王ヘンリー８世の跡を継いだ女王エリザベス１世の宰相を務めたのは、当時の貴族社会にあっては極めて異例だった。セシル家の初代はバーリー男爵として、二代めと三代めはソールズベリー伯として、イングランド王室のなかで権力を振るった。

にはヴェネチアが送り込んだセシル家は完全にエリザベス女王の腹臣になる。それ以降、現在に至るまでセシル家は英国権力の重要な地位に就きつづけています。

そのようにして、ロンドン、ブリティンを次の彼らの世界首都に定める作戦がはじまったわけです。それが完結したのは18世紀です。英国王室の血統が切れたのでドイツからフリーメーソンの「ハノーバー朝」のジョージ１世が継ぐことになるのです。その後、英国の王朝はハノーバー朝がつづき、それ以降ハノーバー朝ができることによって、彼らのロンドンを世界首都にするという作戦は完全に完結しました。

だからデズレィリーという有名な19世紀のユダヤ人政治家の書いた本のなかでは、「ハノーバー朝以降の英国の国家体制はヴェネチアの憲法を丸写しした」というように書かれています。

⑤17世紀にメシアとして登場したサバタイ・ツヴィ

これらのことは西洋史の教科書にはまるで書かれていません。日本人はユ

ハノーバー朝　ハノーバー家はもともと神聖ローマ帝国の諸侯の流れを汲む家系だったが、1714年にスチュアート朝に代わってイギリスの王家となった。ビクトリア女王の死後、夫のアルバート公の家名からサクス＝コバーグ＝ゴータ朝と呼ばれるようになったが、その後、王家の所在地にちなんでウインザー朝と呼ばれるようになった。すなわち、現在のイギリスの王家はハノーバー家である。

ダヤ教というものが17世紀の時点で、非常に重要な変化が生じたということをまったく知らされていません。日本ではきわめてわずかなユダヤ史やユダヤ教史を研究している専門家がその名前くらいはチラと知っているかもしれませんが、ユダヤ教のメシア（救世主）を自称して出てきて、一時、非常に多くのユダヤ人の支持を得た、サバタイ・ツヴィ（1626〜1676）という人物がいます。

17世紀のヨーロッパの状況はどうなっていたかというと、イスラムはバルカン経由でどんどんヨーロッパに浸透していって、当時のキリスト教圏は脅威にさらされていました。

そして、その頃、イスラムのオスマン・トルコの勢力圏下で抑圧されていたユダヤ教の人たちのなかで、「自分がユダヤを解放するメシアである」と称して、100万人くらいの熱狂的な支持者を得たというサバタイ・ツヴィという人物が登場したのです。

しかし、サバタイ・ツヴィはイスラムに逮捕されてしまいます。そして彼は、「イスラム教に改宗すれば釈放する、改宗しなければ、死刑に処する」

2014年までに大きな変化がありそうです。
しかし、いま世界を動かしている勢力について
知っておくことも必要です。

と脅かされます。そこで、彼はイスラム教に偽装転向したのです。大部分のユダヤ人の支持者は絶望して彼の下から四散していきました。少数の支持者だけがそれを偽装転向、偽装改宗と理解して一緒についてきました。それ以降はサバタイ・ツヴィのつくった「サバタイ派」は、イスラム世界のなかでイスラム教徒として生活していくことになるのです。実際は、偽装転向、偽装改宗であり、ユダヤ教でした。

サバタイ派のユダヤ教というのは、実はユダヤ教の根本的な前提を覆すような、ユダヤ教でなくなるような重要な教義上の変更をしたものなのです。どのように変更したかというと、神学上、面倒なことをいうようですが、基本的にいえば、ユダヤが長いこと崇め奉ってきた「エホバの神」を捨てるわけです。エホバの神を捨てるというより、エホバの位置と価値を低くしたのです。ユダヤ教のエホバより、サバタイのほうが偉いとしたのです。

それは在来のユダヤ教の教義からすれば途轍もない背教というか、ユダヤ教の否定であり破壊です。サバタイがいちばん偉いのだから、便宜上、イスラム教になろうと、キリスト教徒になろうとかまわないわけです。

そういう一派としてサバタイ派ができあがります。そしてサバタイ派はイスラム圏だけでなく、東ヨーロッパに浸透して、東ヨーロッパからドイツに渡り、18世紀のサバタイ派の継承者がヤコブ・フランク（１７２６〜１７９１）という人物です。

ここが重要なのですが、そのヤコブ・フランクは後にロスチャイルド家と関わりを持つのです。ロスチャイルドは明らかにヤコブ・フランクの属した「フランキスト・ユダヤ」なのです。日本人はそのことをまったく教えられていません。

⑥世界超国家、金融センターとしてのロンドン・シティ

最後に、世界超国家としてのロンドン・シティについてお話しします。シティというのはロンドンの都心にありますが、シティが事実上、世界超国家として存在しているということを、まったく日本人は教えられていません。

ともすると、21世紀では世界の金融センターはアメリカのウオール街にあり、今や英国のシティはアメリカの金融センターの下位にあり、テニス同様、ウ

ヤコブ・フランクとフランキスト・ユダヤ　フランクの対立を煽る思想はカール・マルクスにも影響を及ぼした。労働者と経営者、ユダヤ人と反ユダヤ（ユダヤ教徒とキリスト教徒）の対立を煽るだけでなく、性的退廃、拝金主義を進め、メシアの登場を待つというのがフランキストの思想である。すなわち彼らにとっては、「悪を行うことが善」ということになる。

インブルドン化しているなどと言われています。しかし、これはとんでもない誤解です。

シティの面積は1マイル平方といわれていますから、東京・千代田区のごく一部くらいの大きさでしょう。しかしその1マイル平方くらいの小さな地域にイングランド銀行があり、イングランド銀行を中心とした世界の金融の中心となっているのです。

このシティという名前の由来は日本人にはまったく知らされていません。

日本人が知るべきもっとも重要な西洋史の秘密は「ロンドン・シティ」の真相

✝ロンドン・シティは世界超国家、事実上の闇の中の世界政府

「シティ」というのは英国の国家、国王女王、議会、政府の上に存在しているのです。そしてロンドン・シティというのは独立国なのです。英国の国王や女王がシティに入って来るときにはシティの市長の許可を得なければ入れ

ないのです。シティは独立した政府と独立した警察を持っています。

私の知る限り、日本人には明治以降、現在までシティの実態を知らせた著述とか論文は存在しないと思います。稀に断片的に出てくるものはありますが、実際についてのまともな調査に基づく記事は存在しません。

シティというのは事実上の「闇の世界政府」なのです。そこにあるのは、
①イングランド銀行
②世界金融センター
③世界商品取引センター
④新聞出版センター
⑤多数のフリーメーソンロッジ
⑥シティの政府、統治機関
などです。

イングランド銀行についても日本人はその歴史をまったく教えられていません。

その次に、世界金融センター。世界金融センターには株式取引所と世界の

主要な銀行支店、英国における銀行の本支店、それからロスチャイルド家が主催する世界の金の取引所などがあります。それから世界商品取引センター、食料とか金属とか、要するに世界経済の基礎を形成している物資を取引するセンターがあります。

その次に、新聞出版センター。英国の新聞出版センターであるとともに世界中の新聞・出版を事実上そこでコントロールする役をしています。

次に、シティにはフリーメーソンのロッジが非常にたくさんあります。フリーメーソンというのは秘密結社ですから、結社の社員でなければフリーメーソンの集会に参加することができません。シティで働いている幹部社員のほとんどはフリーメーソンに入っています。こうしたフリーメーソンのなかだけですべてのものごとを決めることができるわけです。

✝シティは独立国家であり、英国女王をも支配している

最後に、シティの統治機関ですが、シティの市長であるロード（貴族の称号）・メイヤーは1年ごとに選出されるわけです。12人の理事がシティのな

フリーメーソンのロッジ　フリーメーソンは1700年代後半に誕生したとされる秘密結社だが、現在も各国に600万人の会員がいる。イギリス、アメリカ、さらには日本にもグランドロッジ（各国の本部に相当）があり、その下に地方ごとのロッジがある。ロッジというのは山小屋のことだが、フリーメーソンでは支部のこと。日本のグランドロッジは、港区芝公園にある。

かの主要な金融機関から選出されて、理事会というものが運営されています。12人ないし13人の理事が毎年、市長を選出します。だから、その市長というものがどのように選出されるか、また現在のロード・メイヤーの名前が誰であるのか聞いたことがありません。

しかしシティの市長であるロード・メイヤーが事実上の陰の世界帝国のトップなのです。そして夜になるとシティの夜間人口はわずか９０００人くらいになります。警察が２０００人くらいいます。

つまりシティは完全な独立国なのです。独立国であるのみならず、シティは英国の女王を支配しています。そういうことは英国人にも世界の人にも見えません。

また、英国には文章で書かれた「成文憲法」は存在しないということがときどき、いわれます。「へえー、そんなことで英国はうまくやっていけるんだ」程度で、日本では終わっていますが、これは本当に奇妙な話です。成文憲法なしでどうやって国を治めるのか。

日本には英国を専門に研究している人がたくさんいますが、そういうこと

はまったく上の空です。

では、英国の法律とはどうなっているのかというと、裁判所の判決集がたくさんあって、それを参考にしてどうのこうのというふうに説明されたりしています。現象としてはそうですけれど、そんなことをやっていて大英帝国が機能することはありえないはずです。それは表面の話であって、実際にはどのように機能するかというと、シティが決める。シティが英国の国王または女王、それから英国の枢密院などを通じて決定していく。国王または枢密院が決定した政策については英国の議会がなにもいえないのです。当然、英国の首相もなにもいえない。英国の裁判所もなにもいえません。

したがって実質的には、シティが英国の国王を通じて完璧な独裁体制を敷いているというのが英国政府の実態なのです。

✝シティの市長は、実際はロスチャイルド家が関与している

だから英国は現在に至るまで、絶対的な典型的な寡頭体制だといえるのです。シティの12人の理事というか、政府のメンバーがいて1人の市長を選ぶ。

12人に選ばれる理事の下に何百人もの大金持ちというか金融オリガルキーがいるわけです。そういう勢力、寡頭権力が決定し、実行するという国家システムなのです。

シティのトップが英国国王・女王、英国政府の背後にいて動かしているというのが英国の実態なのです。だから、英国には「成文憲法」がないなどというのはまったくの虚偽です。また、シティというのはいまに至るまで、いろいろなシティの政府の執事や職の名前を、中世期の英国のギルドの職名を使って呼んでいます。そして中世期の英国の服装をした役人とかが、なにか行事があると出てきます。

いかにも古代や中世からの英国の伝統をちゃんと継承している、由緒正しい人物だというふうに人々にショーをしているわけです。そのやりかたが凝っているというか、素っ気ないというか、おかしな面があります。

シティの市長は、実際はロスチャイルド家が関与しているのですが、形式上は理事が理事会で選ぶという形を取っています。理事はロスチャイルドその他の大きな金融勢力の代表が毎年、互選されていくわけです。理事には金

融界の重要な財閥グループが代表を出しています。

これは典型的なヴェネチアの「金融寡頭権力体制」そのものです。しかも、英国国民のためにという配慮はまったく行なわれず、秘密のうちに金融寡頭権力体制の意志のままに運営されているのです。

いま、初めて明かされるロスチャイルド王朝の秘密

✝ロスチャイルド家は19世紀前半、「ユダヤ人の王」「ヨーロッパの皇帝」と呼ばれた

なにより大事なのはロスチャイルド家の問題です。ロスチャイルド家というのは19世紀前半に「ユダヤ人の王」とか「事実上のヨーロッパの皇帝」というように、広くヨーロッパではいわれました。日本がまだ開国する前です。しかし、ロスチャイルドが本当にユダヤ人なのか、ユダヤ教徒なのかということが大きな問題です。

ロスチャイルド家の出自を辿ると、ロンドンのシティの支配権を掌握したのはナポレオン戦争が終結した後の話ですが、1815年、国際会議があっ

て、初代のロスチャイルドがついに支配権を握ります。シティはそれ以前から存在していました。

先述したように、シティというのは中世のイングランドでテームズ河の畔にあるロンドンを基地にしていました。ロンドンに貿易商人が移住しギルドとして、伝統的にイングランド王国のなかで私的な資格を与えられて住み着いたのです。そのシティが重要な勢力として出てくるのは、クロムウェルの名誉革命を契機としてです。その次にオランダから英国の国王が出ます。そして、オランダの国王の下でアムステルダムに根拠地をつくっていたユダヤの商人・金融業者が多数、ロンドンに入ってくるのです。

✝ロスチャイルドは、本当にユダヤ人なのか？　ユダヤ教徒なのか？

ユダヤ人の国際金融業者がつくったイングランド銀行という民営・私営による株式会社に、オランダから来た英国国王が特権を与えます。イングランド銀行に英国の通貨の独占的な発行権を与えるということです。イングランド銀行だけが英国の通貨を発行する権利があるとすれば、英国の政府はイン

ギルド　ヨーロッパで中世の頃からつくられるようになった職能別の組合。

グランド銀行からお金を借りることになるわけです。お金を借りるにはタダではなく利子を付けて借りなければならない。英国の政府が私営の株式会社であるイングランド銀行から利子を払ってお金を借りているわけです。これは実に奇妙奇天烈な話です。

英国の政府に通貨を発行する権利がないということは不自然です。本来、それ以前はそれぞれの国家の国王が通貨を発行していました。だから昔のローマ帝国の発行した金貨には皇帝の絵とか肖像が刻印されていました。つまり、国家の主権者が通貨を発行していたのです。

イングランド銀行設立以降は、英国の政府は通貨の発行ができなくなったのです。通貨の発行権はイングランド銀行が独占するというショックが与えられました。英国政府は通貨をイングランド銀行から利子を払って提供してもらうというシステムに下で従属させられたのです。

しかも、その株式会社であるイングランド銀行の株主のリストは、最初から現在に至るまでまったく発表されていません。株主の名を発表しないだけでなく、イングランド銀行の経理や帳簿も、英国政府は調査する権限を持た

イングランド銀行設立　1694年に大同盟戦争の戦費調達のために設立された。当時のイングランド王ウイリアム３世は、オランダ総督だった父、ウィレム２世とチャールズ１世の王女だった母の子としてオランダのハーグで生まれた。曾祖父のウィレム１世は独立国オランダの初代君主。イングランド銀行は、オランダ財政に学んだウイリアム３世がつくったのである。

されていません。だから事実上、イングランド銀行というのは独立国みたいなものなのです。

このイングランド銀行は、シティに設立されて以来、非常に重要な役割を果たすようになるのです。最初、アムステルダムに集まっていたユダヤ人の国際金融資本がイングランド銀行を事実上、支配していくのです。アムステルダムにいたからといって彼らはオランダ人というわけではありません。たまたまアムステルダムにいたというだけで、イングランド銀行はヨーロッパやイスラム圏や世界中の主要なユダヤの金融業者の支配下に置かれたのです。

イングランド銀行を中心とする仕組みは、イングランドでもないし英国でもなく、国家の支配や統制から離れた国際的なユダヤ金融資本の支配下に置かれたわけです。

さらに、イングランド銀行ができていく過程で、英国はたくさんの戦争をしています。それまでの中世、近世のヨーロッパでは、多数の王国が年がら年中、戦争をしていました。

そして、その戦争遂行のためにユダヤ金融業者が国王にお金を貸していた

わけです。イングランド銀行はそれをシステムとして英国のなかにつくったのです。イングランド銀行からお金を借りて英国は戦争をするわけです。

　しかしそのお金には利子をつけて返さないといけないから、英国でやる戦争は儲かるものでなければいけない。いかにして儲かる戦争をやるかということになると、戦争に投入した戦費に対して、戦争に勝利してなにかを獲得する。使ったものよりたくさん返ってくるような戦争をしなければなりません。

　だから戦争をやっていかにしてたくさん儲けるか、儲かる戦争をするかという国家に英国は変貌していったのです。大英帝国というのはそのようにして世界中で、世界を見張っているわけです。単に学術的な興味で世界を調査するのではなく、世界中を見張っていて、どこかに少ない費用で、より多くの戦果を獲得できる戦争の種はないか、常に見張っているわけです。英国というのはそういう国家なのです。

　だからイングランド銀行設立以降、年がら年中、英国は世界中で戦争をしているけれど、英国は現在まで負けたことがありません。厳密に言えば、第

2次世界大戦で英国はインドの植民地を放棄しました。これは負けたといえば負けた唯一の例外です。しかし英国は最初から負ける戦争はしない。勝って儲かる戦争だけをずうっとしてきました。

しかし儲かる戦争をするためには諜報機関が必要です。SISやMI6など、英国の諜報機関が優秀なのもそうした国家的背景があるからです。また、英国というのは何百年も前から世界の地図をつくることに異常な情熱を注いでいます。だからロンドンの本屋を覗くと、世界中の地図が手に入るといわれています。それは学術的な興味でつくられるのではなく、世界中を見張って、どうやって儲かる戦争をして英国を大きくするか。イングランド銀行の設立以降はそういう国家にすることに英国は変貌していくのです。

しかし英国国家を支配している人たちは、人々の目がそういう秘密に向かわないようにしているわけです。自分たちのやっていることの正体を国民にわからせないように、その目くらましのために、関係のない経済学や何とか学といったものを教えるわけです。

イングランド銀行の株主の大多数はアムステルダムからロンドンに移って

SISとMI6　SISは、イギリス情報局秘密情報部。外務大臣が管轄するイギリス国外の情報を収集する機関。イギリスでは各省庁に情報機関があって、その1つにMI6、すなわち軍情報部第6課もあったが、現在ではSISにまとめられたとされている。

きたヨーロッパのユダヤ国際金融家ですが、そういうことを知られたくないために株主の名前や名簿リストは公表しないのです。また英国議会にも調査させないようにしているのです。

✝金融寡頭権力が支配する英国国家の本質は「海賊国家」

14世紀の半ば頃に、ヨーロッパはペストによる災禍が急に流行して、人口が3分の1とか半分になったとかいわれています。そのときに世界の秩序を再建したのはジャンヌ・ダルク（1412〜31）が象徴でした。ヨーロッパのキリスト教の下のほうから世界を再建しようという動きが出てきました。それも日本人はまったく教えられていません。ジャンヌ・ダルクはただ、メロドラマ風に面白おかしく描かれています。

その後、フランスにルイ11世（1423〜83）という国王が出てきて、それまでヨーロッパでは、その領土の住民は国王の所有物、人民は家畜同然という状態でした。ルイ11世以降は、国家は国民の世話をし、教育を与えて保護をする。いろいろな福祉施設をつくるという「国民国家」としてフラン

スは再建したのです。

だからフランスはその後、ヨーロッパ全体の中心として非常に大きな評価、名誉と尊敬、文化的な影響力を保持します。ヨーロッパ全体がそのようにして国民国家のシステムを導入することになります。

しかし英国は国民国家にはまったく成りえない。金融寡頭権力《オリガルキー》が支配する国家として他のヨーロッパ諸国とは全然、別なのです。したがって、英国は金融寡頭権力体制国家として進んでいくうちにヨーロッパと衝突していくのです。英仏戦争という、フランスと非常に激しい戦いを起こします。英国とフランスはナポレオン戦争に至るまで凄絶な戦争をしています。そこには、そういう背景があったからです。

だから英国は、ヨーロッパでもアメリカでもアジアでも、世界中で勝てる戦争を行ない、戦争をするたびに戦時利得を獲得して、そのお金で海軍を強化し、スペインの艦隊やフランスの艦隊を撃破しました。19世紀において、「イギリスは世界の７つの海を制覇した」といわれるようになったのです。

しかし、英国の海軍といってもその正体は海賊です。敵の商船の多くを襲っ

英仏戦争　イングランドの時代から、イギリスとフランスのあいだでは長年にわたって戦争が繰り返されている。1337〜1453年の百年戦争以降、1815年のナポレオン戦争まで、イギリスとフランスは、ほかの国との戦争に相手国を巻きこみ、事あるごとに武力衝突を繰り返してきた。

て財貨を略奪します。しかも、英国では海賊はある種の英雄なのです。英国そのものが「海賊国家」といっても過言ではないでしょう。

世界中でこのようにして常に勝てる戦争を物色して、負ける戦争はしない。戦争に負けそうになると、外交によって回避したり、先延ばしにしたりする。つまり戦争を商業化、商品化するのです。これが英国の正体なのです。

したがって、英国国家の本質が軍隊・戦争にあるとすれば、シティが英国の中心であるということがよくわかります。戦争を行ない、戦利品を獲得するためには諜報機関を発展させなければなりません。

✝隠れサバタイ派ユダヤ、隠れフランキストとしてのロスチャイルド家

そして、ロスチャイルドが出てきたのは、英国やドイツのフランクフルトです。ロスチャイルド家が19世紀に「世界の皇帝」といわれるほど、のし上がった基本的な条件はなにかというと、ユダヤ教の問題があったからです。正統派ユダヤ教徒からすればロスチャイルドは反ユダヤ教徒だったのです。

先述した「サバタイ派フランキスト」の背景を持ってロスチャイルド家は現

われたからです。そのことは世界のなかでも、日本でもほとんど知らされていません。

ユダヤ教徒のなかからエホバの神を貶《おとし》めて、そんなものはいらないというユダヤ教が出てくる必然性、エホバの神よりラビ（タルムードを神とし教義を教える導師）のほうが偉いというようなことが「タルムード」には出てきます。ユダヤ人のなかでエホバ崇拝ではなく、人間が自然の支配者だ、人間がすべてのものの中心であるという大きなイデオロギー的な変化が生じてきたわけです。これが、近代になって前面に出て、ヨーロッパの思想とイデオロギーを支配していきます。

ロスチャイルド家はそういうふうな背景を持って出てきました。ロスチャイルドは、１７７３年に13人のユダヤの金融寡頭勢力の主要な実力者を集めて資金をプールし、そのお金で世界征服のための行動を開始しようという、秘密会議を開いたのです。彼らが最初に起こした事件がフランス革命であり、米国の独立戦争だったのです。米国の独立戦争の背後にはロスチャイルドが動いていたのです。

タルムード　モーセはトーラー（旧約聖書の最初の５つの書、モーセ五書、律法とも）として教えを残したが、このほか口伝による律法も残している。これがタルムードで、６部63編あり、ユダヤ教の聖典とされている。

ロスチャイルドは19世紀には、ユダヤの王といわれるようになるのですが、実はその「ユダヤ」が大問題だったのです。２５００年前、いわゆるバビロンの捕囚期に、ユダヤ教のなかにバビロン化されたカバラ主義的異端が生まれました。このカバラ主義的異端派はモーゼの十戒を否定し、したがってユダヤ教の本質を否定して、悪を肯定したのです。悪魔たるルシファーを至上の神として崇拝しました。

17、18世紀にサバタイ・ツヴィ、ヤコブ・フランクが生まれて、カバラ主義異端がユダヤ教そのものを乗っ取ってしまうのです。ロスチャイルドのユダヤ教とは、このサバタイ派、フランキストのユダヤ教だったのです。

そのことを、私は『ロスチャイルドの密謀』（ジョン・コールマン・太田龍共著・成甲書房刊）という本のなかで紹介しておきました。以上のことはユダヤ教のラビであるM・S・アンテルマンという人が『阿片を根絶するために』という本で初めて公にした事実です。

イルミナティというのは超古代のエジプトやシュメールから発していますが、近代のイルミナティというのは１７７６年にドイツで組織されました。

バビロン捕囚　紀元前597年、新バビロニアがエルサレムを占領し王以下多くのユダヤ人を殺害、3023人のユダヤ人をバビロンに移住させた。紀元前539年に新バビロニアが滅ぶとともに許され、４万2462人が帰還したという。
カバラ主義的異端　バビロンに捕囚されているあいだに、十戒を否定して悪魔のルシファーを崇拝するユダヤ教が生まれた。これがフランキストにつながる。

それがイルミナティによる世界征服の最初の基点になったのです。同様にアダム・スミスの『国富論』が書かれ、米国の独立戦争と同時にフランス革命を起こしました。

フランス革命を起こすことによって、ロスチャイルド家は全ヨーロッパに勢力を広げるきっかけをつくったのです。19世紀には初代ロスチャイルドであるマイヤー・アムシェル・バウアー（１７４４～１８１２）が５人の息子であるアムシェル、サロモン、ネイサン、カール、ジェームズをロンドン、パリ、ウィーン、ミラノ、フランクフルト・ベルリンに送ることによって世界支配のための基点をつくりました。

ロスチャイルドが息子のネイサンをロンドンに派遣して、ナポレオンの最後の戦争のときに、ナポレオンが勝ったという間違った情報を流して、ロンドンの株式相場を大暴落させます。その大暴落して一番安いときに大量の株式をロスチャイルドが息子のネイサンに買い付けさせる。実際はナポレオンが負けたということがわかると、株価は暴騰します。まんまと売り抜けて巨利を一挙にロスチャイルドは手に入れます。

そのとき以降、イングランド銀行とシティの支配権をロスチャイルド家が握ったのです。そしてシティの中心であった何人かのユダヤ国際金融閥との姻戚関係を結びます。その一人はモンテフィヨーレという古いユダヤの家系を持つ人物でした。このような姻戚関係を通じてロンドンのシティをロスチャイルド家が掌握していきました。

したがって、その後、マイヤー・アムシェル・バウアー・ロスチャイルドは「ヨーロッパの皇帝」といわれるようになります。ヨーロッパの国の外商をシティの貸付によって、ロスチャイルド家が操作できるようになる。ヨーロッパ中の金融と国家の運命を左右するシステムの中心がロンドンのシティに置かれたのです。それ以降、シティは「世界の闇の支配者」「陰の政府」となっていくのです。

✝ロスチャイルド家の世界支配の仕方は「ステルス兵器」に似ている

ロスチャイルド王朝というのは日本では、単に「ユダヤの大金持ち」で終わりです。19世紀のヨーロッパではロスチャイルド家は非常に大きな力を得

マイアー・アムシェル・バウアー　1744～1812年。フランクフルトのユダヤ人居住区で生まれた。やがてバウアー姓を元の家名のロートシルトに改姓。1810年にロスチャイルド父子商会を設立し、財閥の基礎をつくった。5男5女のうち、次男のザーロモンがオーストリア、三男のネイサンがイギリス、四男のカールがイタリア、五男のジャコブがフランスのロスチャイルドの開祖となった。

た存在で、その後、世界の経済・富の中心はアメリカに移って、ロスチャイルド家は没落したという説があります。今、一番偉いのはロックフェラーだという、非常に現象的な印象論的な解釈で終わっています。

ロスチャイルドというのは20世紀の初頭の時点で世界の富の約半分を支配しているとまでいわれたのです。世界の富を支配しているといっても、その支配の形は普通の人にはまったくわからないようにできています。

ロスチャイルド家の支配のあり方は人々の目に見えないということで「ステルス」――レーダーをすり抜けて捕捉されない軍用機をステルスといいます。つまり、人々の目に見えない、見えても正体がわからないというふうな具合に、ロスチャイルドの支配構造がつくられたのです。そのようなシステムをつくるためにはロスチャイルド家は代理人を使うのです。代理人という考え方が、ロスチャイルド家と日本の財閥との間に存在する本質的な相異点でしょう。

ロスチャイルドの最初の有力な代理人は、初代ロスチャイルドであるマイヤー・アムシェル・バウアーがフランクフルトにいた時代から代理人をやっ

ていたシフ家だったのです。代理人としてシフ家はもっとも有名な家系です。このシフ家には次のようなエピソードがあります。ロスチャイルドがフランクフルトにいて少し商売がうまくいったとき、家を大きくしました。その建物は5、6階建てのビルでしたが、それを半分にして、家の半分はロスチャイルド家が使い、半分はシフ家が使っていたというのです。

✝ロスチャイルド家は何重もの階層の代理人、エージェントを通じて支配する

そのときから、両家は非常に緊密な関係になったのです。シフ家というのはフランクフルトから何人もアメリカに移住しています。一番有名なのはヤコブ・シフで、彼の20代のとき、1870年代にアメリカ・ニューヨークに渡っています。ヤコブ・シフはロスチャイルド家によるアメリカ支配の1等支配人で、日露戦争（1904〜05）のとき、日銀の副総裁だった高橋是清がヤコブ・シフから戦費を融資してもらったことで有名です。

余談ですが、昭和天皇亡き後、いまに至るまで天皇家はシフ家と親交を結んでいます。イスラエルから新しい大使が来ると、天皇は、「我が国は、ヤ

ヤコブ・シフ　ジェイコブ・シフとも。1847〜1920年。ドイツのユダヤ教のラビの家系に生まれる。1865年に渡米、銀行に就職して頭角を現し、国際銀行として名高かったクーン・ローブの頭取に就任。慈善事業家としても知られ、ロシアでのポグロム（ユダヤ人迫害）に対する運動を支援した。日露戦争にあたって日本を支援したのは、ロシアに対して報復したかったからとも。

コブ・シフさんには大変お世話になりました」と、大使にお礼を言うという話までありますす（笑）。

ヤコブ・シフは事実上、ロスチャイルド家の代理人としてアメリカの金融を19世紀末から完全に掌握します。もう一人はワールブルグ家というのです。アメリカに移住するとウォーバーグと呼ばれます。ワールブルグ家というのはハンブルクのユダヤ財閥でした。ワールブルグ家というのはアメリカでも極めて重要な役割を果たしています。その他、非常にたくさんの代理人をつくっています。しかも、ロスチャイルド家は代理人に対して使い捨てにすることはしないのです。代理人に対しても、パートナーとして多額の分け前を与える。それらはユダヤ教のフランキスト的なイデオロギーで結びついているのです。だから他の世界からは見えないわけです。

ワールブルグ家がアメリカに行くと、アメリカ人としての行動スタイルを取ります。ワールブルグ家、シフ家などがロスチャイルド家の代理人としていまに至っています。カーネギー家、メロン家やモルガン家などがさらにその下に代理人として存在しています。このようにしてロスチャイルド家のア

ワールブルグ家　ヴェネチアで活躍した銀行家アブラハム・デル・バンコの末裔とされる。ロスチャイルド家とシフ家が住んでいたドイツのフランクフルトのユダヤ人居住区に家があった。ロスチャイルド家の代理人として、ポール・ワールブルグはFRB設立、マックス・ワールブルグはナチスの育成、ポールとフェリックス・ワールブルグはロシア革命政権の育成を行ったとされる。

メリカ支配は隠蔽されたのです。

✝アメリカに於けるロスチャイルド家の支配の中枢はＦＲＢ（連邦準備制度理事会）

このようにロスチャイルド家はシティを通じて世界を支配しています。ロスチャイルドがアメリカをどのように支配しているかというと、アメリカの連邦準備制度理事会（ＦＲＢ）と、外交問題評議会（ＣＦＲ）です。この二つを通じてロスチャイルド家はアメリカを支配しているのです。

ＦＲＢは、イングランド銀行とまったく同じ手口で、同じものをアメリカにつくった機関です。つまり米国の「連邦準備制度理事会設立」という法律を１９１３年に通したあと、ＦＲＢに米国政府が米国通貨の発行独占権を与えました。イングランド銀行とまったく同じです。米国政府はそのあと、ＦＲＢに利子を払って米国のドルを買うというか借りるわけです。

米国政府は民間の株式会社であるＦＲＢから、通貨を利子を払って買っています。米国政府といってもそれは米国国民の税金で払うわけです。そしてＦＲＢもイングランド銀行とまったく同じように、株主の名前が最初から現

FRB　アメリカではさまざまな銀行が金を担保にして紙幣を発行していたが、信用不安があったため、1913年にポール・ウォーバーグやジョン・ロックフェラーの支援のもと、連邦準備制度が設立された。
CFR　アメリカの外交問題や世界情勢を分析する非営利の組織。外交問題でもっとも権威ある雑誌とされる『フォーリン・アフェアーズ』を発行。

在までまったく公表されていません。実際的、実質的には株式の過半数は、欧米のロスチャイルド金融財閥が所有しています。だからアメリカのＦＲＢはロスチャイルド家のものなのです。

ロスチャイルドの機関が、アメリカの通貨の発行権を独占して、利子を付けて米国政府にドルを貸し付けるというイカサマをやっているわけです。したがってドルの発行を増やしたり減らしたりということは、ＦＲＢの理事会だけが決めます。ＦＲＢを支配しているのはロスチャイルド家ですから、事実上、ロスチャイルドがドルの発行の増減を決めているわけです。このようにしてロスチャイルド家はアメリカ経済を支配しているのです。

その後、第1次世界大戦にアメリカがヨーロッパの戦争に引きずり込まれ、第1次世界大戦が終結すると、非常に多くのアメリカ人が、「なんで我々が英国に乗せられてヨーロッパの戦争に参加しなければならないのか」と憤激しました。ある程度のアメリカの歴史学者もその秘密を調べて、そのためにアメリカの上院がヴェルサイユ講和条約の批准を否決しました。

ヴェルサイユ講和条約の目的というのは、付属事項として国際連盟をつく

ることにありました。ヴェルサイユ講和条約というのは単なる講和条約ではなくて、国際連盟をつくるということと一緒になっていました。米国の上院議員がそれを否決したため、アメリカは国際連盟に入れないということになったのです。

✝CFR（外交問題評議会）のメンバー約3000人のうち、73％はユダヤ人

そこでイルミナティというかシティというか、ロスチャイルドはそのことを反省し、今度はもっとうまくやろうということで、CFR（外交問題評議会）という機関をつくったのです。ロスチャイルド家の資金でロスチャイルドの機関としてつくったのです。米国政府の高級官僚3000人くらいを、基本的にCFRのメンバーとして送り込んで、米国議会を支配する、そういう目的でCFRは1921年に設立されました。

現在CFRのメンバーは約3000人といわれていますが、そのうちの73％はユダヤ人です。米国のユダヤ人の数は全人口の3％に過ぎませんが、米国の政治を支配するCFRは73％がユダヤ人なのです。CFRは事実上、ロ

スチャイルド家が支配しています。だからロスチャイルドはＣＦＲを通じてアメリカを支配していることになります。

アメリカは世界一の大国で、そのアメリカを牛耳っているのは、ロックフェラーだというふうに印象づけられ、日本でもそのように考える人が多いようですけれど、ロックフェラー家というのは周知のように石油業者から大きくなりました。

ロックフェラー家が大きくなったのは石油の精油所を独占したからです。油田は誰が掘っても放っておく。当時、すでにアメリカの鉄道網はロスチャイルド系（ハリマンなど）が独占していました。鉄道を支配して、石油を運ぶ運賃を操作することによって、ロックフェラーの競争相手を潰していく。

このように、ロスチャイルドはロックフェラーをもう一つのエージェントとして育成する作戦を立てたのです。ロスチャイルド家の米国代理人がロックフェラーに融資して、ロックフェラーを支配下に置いたのです。

ハリマン　エドワード・ハリマン。1848～1909年。ニューヨーク出身のユダヤ系アメリカ人の銀行家。ユニオン・パシフィック鉄道、サザン・パシフィック鉄道のオーナー。ヤコブ・シフと親しく、日本の戦時公債をともに引き受けた。

✝ロックフェラー家はロスチャイルドのアメリカに於ける代理人、フロントマンに過ぎない

米国民は感情的にヨーロッパが嫌いなため、ヨーロッパのロスチャイルド家がアメリカを支配しているとわかると、アメリカ人は即反発するわけです。だからロスチャイルドはロックフェラーをフロントに立てて、アメリカと関係ないというイメージを一生懸命、米国民に与えているわけです。そういう作戦なのです。

だから実質的にアメリカを支配しているのは、現在でもロスチャイルド家なのです。

✝船井さんに教えてほしいこと

ところで、船井さん。あなたは私の知っていること、いままで述べたことのほとんどを知っているように思います。しかもそれを知っていても別にびっくりもしないし、アタマにも来ないようです。逆に、それらも「必然、必要だったのだ」「ロスチャイルドやロックフェラーにも協力してもらって、みんなで良い世の中をつくればよいし、それはできる」といっています。そ

れらのポイントだけを、次章で教えてくれませんか（『日本人が知らない「人類支配者」の正体』よりの転載ここまで）。

2014年までに世界は変わり、真の自然の理の時代がくる

いずれ、「船井メールクラブ」で人気のあった発信文は上手にまとめて本にしようと思いますが、本として出版される頃には、その「船井メールクラブ」の発信文は時間的に言って消去されていると思います。

たとえば、サバタイ派やロスチャイルド家を含めて興味のある方は、各自でヨーロッパの歴史、ロスチャイルドのこと、サバタイ派などの解明にぜひ取りくんでください。

なお、私は、「私はユダヤ教徒です」と言っている人を常識的にユダヤ人と把えております。太田さんは私に話すよりも、多くの読者に言いたくて以上の発言を詳しくしたようでもあります。

私がロスチャイルドやロックフェラーを含めて、いまというより、かなり以前からサバタイ派などにあまり興味がないのは、１９９５年頃より時流が変わり、「真の自然の理」に従う世の中が近々に人間社会にくるように思うからです。たぶん、２０１１年から２０１４年にかけて大きな変化があるでしょう。

彼らの考え方は「真の自然の理」や「時流」に反すると思えるからなのです。

それらにつきましては、また別の著作ではっきりさせたく思っております。

ご期待ください。

あとがき

「まえがき」にも書きましたように毎週木曜日に船井本社から発信される有料メルマガの「船井メールクラブ」の文章は、いままでの例では1回平均で2万字弱くらいになっています。そして、毎週1000人強の会員さんから、その発信を待たれているのを感じます。

残念ながら、そのすべての発信文が全会員さんを満足させるまでには至らず、いまのところ3ヵ月に1、2回は「今回はつまらなかった」という反応を頂戴しております。

おかげで私や実際に配信を担当している船井本社の藤原編集者には、メールクラブ会員さんの意向と要求が実によくわかってきました。

たぶん、あと1~2カ月中くらいには、「つまらない文章」といわれる内容の発信文はなくなると思います。藤原編集者と発信前に、とことんチェックする予定です。

ところで、「船井メールクラブ」が有料であるということから、そこで一度発信したものを、私だけの発信文に絞り込んだとはいえ、このように一冊の本として発刊することに、私にはかなり迷いがありました。船井本社の船井勝仁社長も同様です。

そこで本書では、原文にはない各章冒頭の囲み内に私の感想（?）をまとめて表記したり、原文にもかなりの削除や付加をしたりして文章を変更し、一冊にまとめて出すことにいたしました。また、大事な言葉は文章の下に説明を付記しました。

その点では、ほぼ満足する本となったと思っています。

ただ、それらのことを超えて考えたのは、本当に役に立つ情報なら、原文が有料メルマガの発信文ですから何カ月か遅れることは仕方がないが、会員さんが納得してくれる条件を充たしたうえでやはり多くの人に読んで考えてもらったほうがよい……という私の情報人としての使命感のようなものです。

このようにすべてを「真の自然の理」と「時流」から考えて、本書を発刊するかしないかの意思決定をしました。

「船井メールクラブ」は、まじめな一般誌「たとえば『ザ・フナイ』（船井メディア刊の月刊誌）」ではいまのところ書きにくいレベルの真実情報を、少人数の希望される特定の人にのみ毎週配信することを目的に始めたものです。

本書中の「大麻のこと」、「タングステン酸ソーダのこと」、「官僚は稼げということ」などは、いまのところそれらに当たります。

それは、『ザ・フナイ』の2012年6月号の副島隆彦さんの『橋下徹に漂う「茶色の朝」』という文章と比べてもらうとよくわかります。『ザ・フナイ』のこの文章は高岡編集長との対談の形式をとっていますが、「さすがに副島先生」と言いたいほど、わかりやすい内容の文章となっています。私も、「なるほど」と納得いたしました。

とはいえ、やはりあの文章は「船井メールクラブ向けではない」のです。『ザ・フナイ』向けなのです。

その辺が説明しにくいところなのですが、ここは主宰者である本書での私の発信する文章と副島さんの『ザ・フナイ』の文章を充分に比べて、ご理解ください。できれば両方とも今後は毎回お読みくださ い。

そうしますと、私があえて私の発信文に絞って、試みに本書の発刊に踏み切った理由がおわかりいただけるように思います。

きょうはすでに6月7日です。6月下旬に書店に並ぶ予定の本書にはちょうどよい厚さで、簡潔な内容の本になったと思っています。

ともかく本書は一般書ですから、〝すっきり〟をテーマになるべく不要なことをカットし、必要最低限の文章だけにする努力をいたしました。たぶん世の中は、これから〝すっきり〟そして〝単純〟、いわゆる〝簡潔〟に変わっていくと思うゆえです。

それが「真の自然の理」であり、これからの「時流」だと思われて仕方がないのです。

これくらいは、3・11東日本大震災以降の諸事実から私のような者でも判断できます。

その点に基づき、いま気になることを2つだけ書き、本書の「あとがき」ならびに本書の原稿のペンを擱《お》きたいと思います。

竹村健一さんが言ったように、「特別のニュースがマスコミほかで喧伝《けんでん》され

ょう。

るとき」は注意が必要です。誰かが、何かを、意図していると言っていいでし

その一つが、〝橋下徹ブーム〟です。

副島隆彦さんが『ザ・フナイ』の2012年6月号に詳述していますように、彼はアメリカの日本あやつり対策班（ジャパン・ハンドラーズ）によって世の中に出たようです。これは、調べるとすぐにわかります。

私は、橋下徹さんに竹中平蔵さんと同じ臭いを感じて仕方がありません。しかもそのお2人はとくに親しく、2人のバックに笹川財団がついているようですから、今後の日本のためにこのブームは注意が必要でしょう。

二つめは、小沢一郎事件です。

客観的に見て、いまの民意は小沢氏の言と近く、反消費税、反TPP、脱原発にあるように思われます。反アメリカ、反官僚といっていい小沢氏がなぜ検察やマスコミなどに執拗なほども標的にされるのか……その本質を少し深く考えるとき、橋下ブームとともに違った意味で気になることです。

ただ、それらが今後どうなるのかも「真の自然の理」と「時流」が正しい答

笹川財団　The US Japan Foundation, The Nippon Foundation。日本財団、東京財団などいくつかの財団があるが、資金の出所はモーターボート協会（日本船舶振興会）。中国で特務機関として暗躍した国粋主義者、故・笹川良一氏が率いた。彼は、後に米CIAのエージェントとなったともいわれる。竹中平蔵氏は1999年から東京財団の理事長を務めた。

を近日中にわれわれに教えてくれそうに思います。

本書は、このような観点に立って上梓にいたったことを、ぜひお知りおきいただきたいのです。客観性を強調するため、すでに発表した拙著などからの引用を多用していますが、やむを得なかったことゆえご了承ください。90％以上は私関連の必要上の引用文です。

本書が読者の皆さんの思考にプラスの影響を与え、一日も早く、素晴らしい住みよい世の中ができますことを祈ってペンを措きたいと思います。

２０１２年６月７日

熱海市の自宅書斎で　著者

船井幸雄（ふない　ゆきお）
1933年、大阪府に生まれる。1956年、京都大学農学部農林経済学科を卒業。日本マネジメント協会の経営コンサルタント、理事などを経て、1970年に㈱日本マーケティングセンターを設立。1985年、同社を㈱船井総合研究所に社名変更。1988年、経営コンサルタント会社として世界ではじめて株式を上場（現在、同社は東証、大証の一部上場会社）。同社の社長、会長を経て、2003年に同社の役員を退任。現在、㈱船井本社の会長。また、㈱船井総合研究所や㈱船井財産コンサルタンツ、㈱本物研究所、㈱船井メディアなどの最高顧問。グループ会社の象徴的存在でもある。著書約400冊。

船井幸雄がいままで口にできなかった真実

第1刷　2012年6月30日

著　者　船井幸雄
発行者　岩渕　徹
発行所　株式会社徳間書店
〒105-8055　東京都港区芝大門2-2-1
電　話　編集(03)5403-4344／販売(048)451-5960
振　替　00140-0-44392
本文印刷　三晃印刷(株)
カバー印刷　真生印刷(株)
製本所　大口製本印刷(株)

ISBN978-4-19-863408-7